Introducción

PINTAR
CON ACUARELA

Introducción

Pintar
con Acuarela

Alan Oliver

LIBSA

A QUANTUM BOOK

© 2006, Editorial LIBSA
C/ San Rafael, 4
28108 Alcobendas. Madrid
Tel. (34) 91 657 25 80
Fax (34) 91 657 25 83
e-mail: libsa@libsa.es
www.libsa.es

Traducción: Felicidad Sánchez Pacheco

© MIIM, Quarto Publishing Plc

Título original: *Watercolour. Planning and Painting*

ISBN: 84-662-1249-3

Créditos
Práctica por la tarde de Henry W. Dixon (página 1)
Solana de Judi Betts (páginas 2-3)

PRÓLOGO

Yo era un adolescente cuando empecé a pintar con acuarelas. Tiempo atrás, las compañías de ferrocarriles encargaban acuarelas que luego se imprimían enmarcadas para decorar los vagones. Aquellas pequeñas pinturas hacían mi viaje a la escuela mucho más agradable, y también influyeron para iniciarme en la acuarela. Mis primeros intentos, por supuesto, fueron desastrosos. Estaba lleno de entusiasmo pero falto de oficio y aún menos de paciencia. En mi prisa me lancé demasiado rápido; por más que trataba de corregir mis errores las cosas iban a peor, y los resultados eran colores sucios y pinturas apelmazadas, forzadas.

ARRIBA. Una paleta con huecos para la pintura.

Ansiaba conseguir la frescura y la luminosidad de aquellas pequeñas acuarelas del tren.

Con el tiempo, la experiencia me enseñó que los errores en la acuarela son casi imposibles de eliminar o de borrar porque los colores son transparentes y algunos de ellos dejan mancha en el papel cuando se trata de lavarlos. Intenté encontrar un medio de hacerlo bien a la primera y no cometer errores. Así que empecé a estudiar el trabajo de los maestros en la materia: John Sell Cotman (1782-1842), Winslow Homer (1836-1910), y el más grande de ellos, Joseph Mallord William Turner (1775-1851). Su técnica de acuarela consistía en construir la imagen en capas sucesivas, cada una haciéndose más oscura, más detallada e independiente según el cuadro alcanzaba su fin.

ARRIBA. Vista de calle francesa de Alan Oliver.

Me di cuenta de que si yo pudiera analizar un tema en términos de simples áreas de luz, sombras y medios tonos, estaría a mitad del camino. Haciendo un dibujo con lápiz blando en distintas gradaciones, tendría un «anteproyecto» con el que podría continuar en mi cuadro. Así supe dónde empezar y en qué orden aplicar las capas de color. Por fin mis pinturas alcanzaron algo de la transparencia que había visto en los trabajos de otros artistas.

La técnica de capas tonales me ayudó a conseguir mejores pinturas. Espero que te ayude a ti también, y ese es mi propósito al escribir este libro.

IZQUIERDA. Dibujo tonal preparatorio.

Alan Oliver

CONTENIDO

Introducción   8

Primera parte   EMPEZAR   10

Materiales y equipo   12

Técnicas elementales   16 • Extender una aguada uniforme   16 • Extender una aguada gradual
17 • Extender una aguada matizada   17 • Trabajar húmedo sobre seco   18 • Pintar húmedo
sobre húmedo   19 • Usar máscara líquida   20 • Sacar luces   21

Combinar colores   22

Valoraciones tonales   24

Componer tus cuadros   26

Segunda parte   CÓMO PLANTEARTE TUS CUADROS   30

Preparación para pintar   32

Cómo utilizar este capítulo   35

Pintar de claro a oscuro   36 • Capas tonales   38 • Mantener los colores limpios   42 •
Técnica de claro a oscuro   48

Pintar detalles   50 • Cubrir detalles   52 • Aguada y línea   58 • Pintar al detalle   62

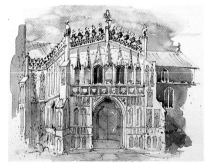

Pintar atmósferas   64 • Dramatismo con tonos oscuros   66 • Aguadas luminosas   72 •
Recrear ambientes   78

Pintar sombras   80 • Contrastes de cálidos y fríos   82 • Una paleta limitada   88
• Cómo dar sombras   92

Pintar con modelo   94 • Utilizar color intenso   96 • Explotar los contrastes   102
• Utilizar modelos   106

Tercera parte   INICIÁNDOTE EN LA PINTURA 108

Desarrollar un estilo   110 • Dos artistas, un panorama   116

Índice   126

ARRIBA. **Rellenar los tonos más claros con el papel seco.**

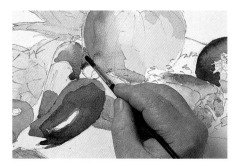

ARRIBA. **Aplicar los medios tonos.**

ARRIBA. **Dar las capas de los tonos más oscuros.**

Introducción

Pintar a la acuarela es uno de los más estimulantes y placenteros procesos creativos. La gente se siente atraída por la acuarela porque es un medio muy expresivo, y porque disfruta con el reto de aprender a controlar su naturaleza fluida y delicuescente. El equipo necesario también es relativamente sencillo; con sólo un pincel, un par de colores y una hoja de papel es posible conseguir efectos asombrosos con absoluta facilidad.

El único inconveniente de la acuarela es que no se queda en la superficie sino que es absorbida rápidamente por las fibras del papel y le tiñe. Una vez que se aplica una pincelada de color sobre el papel, hay poca posibilidad de borrarlo o hacer correcciones o enmiendas.

La clave para tener éxito en la pintura a la acuarela es un buen planteamiento. Como principiantes, nuestro entusiasmo –e impaciencia por los resultados– nos vuelve ansiosos por pintar en el papel y luego decidir qué hacer después. La pintura es aplicada y extendida, se producen alteraciones precipitadas, e inevitablemente la frescura y la viveza de los colores se

ARRIBA. **Humedecer el papel.**

ARRIBA. **Los tonos más claros aplicados en húmedo sobre húmedo.**

ARRIBA. **Aplicar los medios tonos.**

ARRIBA. **Añadir detalles.**

ARRIBA. **Sacar luces.**

ARRIBA. **El cuadro terminado.**

pierden. Esos problemas pueden eludirse bosquejando previamente tus cuadros con cuidado, así los abordarás de modo fácil y seguro.

Mi propósito al escribir este libro es enseñarte, paso a paso, cómo plantearte tus acuarelas y acceder a ellas de un modo sencillo y lógico. Es una técnica que yo llamo «capas tonales», la cual consiste en analizar las luces, los medios tonos y las sombras de tu tema, para luego trasladarlas al papel añadiendo capas sucesivas de color. La capa más clara se aplica primero, luego la segunda capa se da sobre la primera, siguiendo con la tercera, y continuar así, con los valores cromáticos más oscuros aplicados los últimos.

Estas páginas muestran cómo dos artistas han abordado el mismo tema de forma diferente. La secuencia de arriba ilustra la técnica «directa», en la que los colores se han aplicado sobre papel seco. Las pinceladas y las aguadas se han construido en capas, dejando que cada capa se seque antes de dar la siguiente. En la secuencia de abajo el artista empieza con la técnica «húmedo sobre húmedo», en la que los colores se aplican sobre el papel mojado, se diluyen suavemente difuminados y fluyen unos con otros. Los métodos pueden ser diferentes, pero en ambos casos los resultados tienen una frescura sólo posible porque los artistas han organizado previamente su trabajo.

ARRIBA. **Añadir detalles.**

ARRIBA. **Intensificar el fondo.**

ARRIBA. **El cuadro terminado.**

EMPEZAR

Estás a punto de embarcarte en uno de los más sugestivos y apasionantes pasatiempos.

La pintura a la acuarela creará todo un mundo nuevo para ti; un mundo lleno de luz y de color.

A lo largo del proceso observarás cosas en las que no te habías fijado antes, e irás descubriendo nuevos aspectos sobre ti mismo durante el aprendizaje, que te sorprenderán gratamente.

MATERIALES Y EQUIPO

Comprar nuevos utensilios y equipo para pintar puede ser apasionante, pero también es fácil despilfarrar el dinero en productos caros que en realidad no necesitas. Es mejor empezar con los básicos esenciales, por lo menos al principio, y luego ir aumentándolos según ganes experiencia. Serás capaz de realizar excelentes pinturas con solo unos pocos elementos clave. Esta sección resume las herramientas y el equipo que necesitarás para empezar.

Cuando vayas a comprar pinceles, pinturas y papeles para acuarela mi consejo es ir a por lo mejor que puedas permitirte. Lograrás, con mucho, mejores resultados desde el comienzo y esto aumentará tu confianza, incluso si eres un completo novato.

PINTURAS

Las pinturas para acuarela consisten en unos pigmentos finamente molidos, ligados con goma arábiga y mezclados con glicerina. Están disponibles en tubos de pasta de color y en pequeños bloques, llamados «cazoletas» o «medias cazoletas» de co-

lor semipastoso. En general, yo recomendaría colores de tubo puesto que son más fáciles de coger con el pincel. Pueden dejarse secar en la paleta después de una sesión de pintura y volver a utilizarse con solo humedecerlos con el pincel mojado. El tubo de color viene en dos categorías, la de artistas y la de estudiantes. Las pinturas para artistas son más caras pero poseen pigmentos de mayor calidad, por lo que los colores son más ricos y más transpa-

rentes, y la pasta permanece húmeda más tiempo.

Las pastillas de color pueden comprarse sueltas, así como en cajas de pintura con huecos para colocarlas y una tapa que se abre hasta formar una útil paleta para mezclar los colores. Son económicas y prácticas para bocetos rápidos y pintura al aire libre. Sin embargo, hay que limpiarlas a menudo, con la pérdida de la pintura inicial.

ABAJO. **Aunque también se venden sueltos, los tubos y las pastillas de acuarela pueden comprarse en juegos o en cajas con uno o dos pinceles y una paleta variada y completa. Ésta proporciona una tabla de colores básicos y es fácil de llevar cuando se trabaja al aire libre.**

IZQUIERDA. **Los pinceles tipo brocha y los de aguada están diseñados para cubrir con rapidez áreas extensas. Los de aguada son anchos y planos, y las brochas tienen cabezas grandes y redondas.**

punta fina que te permite pintar pequeños detalles.

El pincel cuadrado plano se utiliza para hacer trazos amplios y rectos.

El pincel de cabo tiene unos pelos extra largos y flexibles y se utiliza para pintar líneas muy finas. Estos dos últimos son pinceles especializados, con los que merece la pena experimentar, pero sólo cuando te sientas preparado para añadirlos a tu equipo básico.

Los pinceles están clasificados según el tamaño, abarcando desde el pequeño como 0000 hasta el pincel de aguada con el número 24; esta numeración va impresa en el mango. Los tamaños de los pinceles no son estándar, por eso, un pincel número 5 en la serie de un fabricante no coincidirá necesariamente con el número 5 de otro.

Necesitarás, al menos en principio, dos pinceles redondos, pide un número 2, 3 o 4 y un 12, 14 o 16. Si quieres trabajar a gran escala necesitarás también un pincel tipo brocha o uno de aguada para aplicar grandes extensiones de color.

de pincel para cada trazo, y parte del aprendizaje de la técnica de la acuarela es descubrir los distintos trazos que pueden hacerse con un solo pincel. El redondo es el más versátil porque puede coger mucha pintura para aplicar grandes aguadas, y también tiene una

PINCELES

Los pinceles son probablemente las herramientas más importantes de tu equipo de pintura, por eso compra los mejores que puedas permitirte. Unos pocos pinceles de buena calidad durarán más y te darán mucho mejor resultado que un puñado entero de baratos. Los de marta auténtica son los mejores, pero son caros. Una excelente alternativa, más asequible, son los combinados de marta, una mezcla con pelo sintético. Los de marta se moldean bien, son elásticos, resistentes y usarlos es un placer. Los pinceles más baratos están hechos de fibras sintéticas, aunque salen económicos, su inconveniente es que no empapan tanta agua como los de pelo natural, y suelen secarse en algunas ocasiones a mitad de la aguada, lo cual puede ser fastidioso.

Formas y tamaños de los pinceles

Los pinceles vienen en varias formas, cada una para crear una pincelada diferente. No obstante, sería impracticable cambiar

ELEGIR UN PINCEL

Las cabezas de los pinceles nuevos tienen la punta afilada y están cubiertos por un revestimiento rígido para protegerlos. Prueba siempre el pincel antes de comprarlo. Introdúcelo en agua para disolver la cáscara (una buena tienda de material de arte tendrá siempre un tarro de agua disponible para este propósito). Sacude una vez el pincel para comprobar que los pelos vuelven a su posición correcta. Si no lo hacen, recházalo y prueba con otro.

Después de adquirir un buen pincel merece la pena cuidarlo. Enjuágalo bien después de usarlo, sacude el exceso de agua y luego devuélvele su forma, ya sea presionándolo con los dedos o pasándolo suavemente por la palma de la mano moldeando los pelos hasta la punta. Luego colócalo con los pelos hacia arriba en un vaso o tumbado en una superficie plana. Si los pelos se secan torcidos, el pincel ya no servirá para nada.

Alisar el papel

Siempre es mejor trabajar en una superficie de papel que sea plana y firme. Cuando una parte se humedece se dilata, formando bultos y huecos. El papel fino es más propenso a este efecto; aplanarlo no suele ser necesario con papeles más fuertes. El procedimiento se muestra bajo estas líneas.

1 Corta el papel al tamaño deseado dejando un margen de 2,5 cm alrededor. Sumérgelo en una bandeja con agua y déjalo unos cinco minutos para que se empapen las fibras.

2 Saca el papel sujetándolo por una esquina para escurrir el exceso de agua. Cuando acabe de gotear ponlo sobre el tablero y espera otro par de minutos.

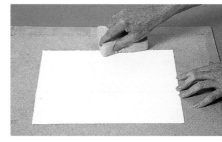

3 Quita las burbujas de aire frotando suavemente desde el centro hacia fuera con el dorso de la mano. Seca los bordes exteriores del papel con una esponja, a fin de pegar cinta adhesiva sobre ellos.

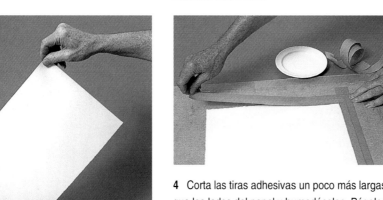

4 Corta las tiras adhesivas un poco más largas que los lados del papel y humedécelas. Pégalas alrededor de los bordes exteriores de modo que su centro quede entre el papel y el tablero. Déjalo secar por sí mismo.

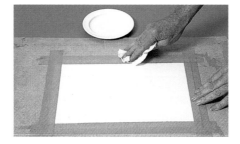

5 Una vez seco el papel, queda tan tenso como un tambor. Cuando lo humedezcas con tus aguadas de color permanecerá perfectamente plano y será un placer trabajar sobre él.

PAPELES

La buena calidad del papel para acuarela es fundamental. El papel guarro normal es excelente para dibujar pero inadecuado para la pintura al agua porque es demasiado liso y delgado. El papel para acuarela se vende en hojas sueltas, en pliegos y en cuadernos. Puede estar hecho a mano o a máquina y esa diferencia se refleja en el precio. El papel de mejor calidad hecho a mano es de hebra de algodón en vez de pasta de madera. Los papeles hechos a mano se reconocen casi siempre por su superficie irregular y con bordes deshilachados («rebabas»). También llevan la marca del fabricante en una esquina.

Los papeles realizados con molde son los mejores después de los hechos a mano y resultan más asequibles, pero algunos tienen una superficie granulada demasiado basta.

Textura

Es importante elegir la clase adecuada de papel, ya que la textura de su superficie influye en el modo en que reaccionan las aguadas de color. A la textura de la superficie de papel se la conoce como su «muela». Hay tres clases de superficies.

La prensada en caliente (HP) es lisa, sin «muela». Es apropiada para trabajos con detalles delicados, pero no para aguadas cargadas pues la superficie tiende a combarse y el pigmento se distribuye de forma irregular.

La prensada en frío (a veces conocida como «No», que significa no-prensada) tiene una superficie semirrugosa, igualmente buena para las aguadas vigorosas que para los toques delicados de pincel. Este es el tipo de superficie más corriente, ideal para los pintores menos experimentados.

El papel rugoso tiene una muela más pronunciada que quiebra los bordes de la pincelada y producen texturas muy interesantes.

Peso

Tradicionalmente, el peso (o el grosor) del papel es medido en libras por resma (480 hojas). El equivalente en el sistema métrico se mide en gramos por metro cuadrado (g/m²). Como orientación, el papel de acuarela más ligero es de 150 g/m², mientras el de peso intermedio es de 300 g/m². El papel más pesado llega a los 640 g/m². El de peso medio es bueno para uso general, posee la tirantez apropiada para evitar ondulaciones (*véase* página anterior).

Trata la superficie de tu papel de acuarelas con cuidado, ya que puede estropearse fácilmente. La marca de un rasguño accidental, imprevisto, o la señal de un dedo grasiento aparecerán de inmediato cuando se aplique una aguada de color, y puede arruinar una buena pintura.

Paletas

Las paletas para acuarela abarcan toda una gama de formas y tamaños, y están hechas de cerámica, metal esmaltado o plástico. La mayoría tienen compartimentos para poner los colores por separado y sus correspondientes cantidades de agua. Vasos, cuencos, platos, fuentes y tarros de yogur comunes –siempre blancos y sin poros– pueden utilizarse como paletas.

Accesorios

También necesitarás un recipiente para el agua. El agua sucia enfangará tus colores, por eso cámbiala a menudo. Algunos artistas utilizan dos frascos de agua, uno para lavar los pinceles y otro de agua limpia para mezclar los colores. Puedes comprar recipientes plegables con asa para trabajar al aire libre o, sencillamente, corta la parte superior de una botella de plástico. Para absorber el exceso de agua o aclarar una zona, se emplea una pequeña esponja natural. El papel de celulosa o los trapos pueden utilizarse también para este propósito. Usa un lápiz bien afilado, de grado medio como el 2B, para dibujar sobre el papel de acuarela, y una masilla de goma de borrar que no deje rastros.

También necesitarás un cuaderno de dibujo para tomar apuntes de todo lo interesante que veas, hacer dibujos tonales y ensayar composiciones. Busca un bloc de tamaño A4 con papel más bien liso de buena calidad. Son recomendables los lápices blandos –3B o 4B– para tus boce-

tos preliminares. Te proporcionarán una gradación de tonos, desde el negro al gris claro, dependiendo de la presión que ejerzas sobre el papel.

ARRIBA. **Accesorios para pintar con acuarela. (Sentido agujas del reloj). Plantillas para mezclas, una paleta con huecos, recipientes para el agua, toallas de papel, visor, cúter, esponja, cepillo de dientes, plumillas y lápices, tinta para dibujar, corrector de cinta, cuaderno de dibujo y masilla para borrar.**

TABLEROS Y CABALLETES

Necesitarás un tablero ligero de madera para colocar el papel. Hay que descartar los laminados porque la cinta engomada para sujetar el papel estirado no se adhiere en ellos.

El caballete no es fundamental para pintar en interiores ya que puedes simplemente apoyar tu tablero en una pila de libros con un ángulo aproximado de 15 grados. Sin embargo, para pintar al aire libre será mucho más cómodo con un caballete ligero para bocetos.

TÉCNICAS ELEMENTALES

Hay por lo menos media docena de técnicas que forman la base de toda pintura a la acuarela, y una buena asimilación de ellas te dará confianza para seguir adelante y desarrollar las muchas posibilidades de este medio tan versátil. Puedes pasarlo a lo grande dando pinceladas y capas lisas de aguadas para llegar al sentido de la pintura y lo que finalmente se reflejará en el papel.

El propósito de esta sección es poner a tu alcance unas cuantas técnicas básicas de la acuarela, con la esperanza de despertar tu curiosidad sobre todas las posibilidades que abarcan.

CAPAS DE AGUADA DE COLOR

El primer requisito de la acuarela es cómo extender las aguadas suave y fácilmente. Lo mejor es aplicarlas con rapidez y de una sola pasada, por eso, mezcla más pintura de la que piensas que necesitas con un pincel grande y bien cargado. Mantén tu muñeca flexible y trabaja rápida y confiadamente, así las pinceladas confluirán unas en las otras. Una vez que se ha dado la aguada, déjala secar sin tocarla.

Extender una aguada uniforme

El propósito de una aguada plana es cubrir grandes zonas que no puede hacer una pincelada. Para conseguir un tono liso sin marcas o líneas indeseables deberías trabajar sobre papel preparado. Humedécelo con una esponja mojada en agua limpia o con un pincel de aguada. La humedad del papel ayudará a extender el color de modo uniforme.

1 Exprime un poco de pintura en el compartimiento para líquido de tu paleta, o en un cuenco o plato hondo, y dilúyelo con agua. La pintura debe estar fluida pero algo consistente, por el hecho de que al secarse quedará mucho más ligera en el papel. Asegúrate de que mezclas bastante pintura; si te detienes a la mitad de la aguada para preparar más cantidad la habrás perdido y tendrás que empezar de nuevo.

ARRIBA. **Para este boceto en color se aplicaron aguadas planas. Cuando se secaron, el color se lavó en algunos sitios para sugerir los reflejos de la luz en el tejado y en las ventanas.**

2 Inclina el tablero en un ligero ángulo para permitir a la aguada deslizarse gradualmente, si se coloca en horizontal la pintura podría escurrirse hacia atrás. Con el pincel bien cargado, extiende una banda de color a lo largo de la parte superior del papel. Vuelve a cargar el pincel. Repite en la dirección opuesta pasando sobre el goteo de color formado en la base del primer trazo.

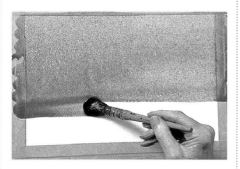

3 Trabajando hacia atrás y hacia delante continúa cubriendo el papel pero no toques para nada el pincel húmedo hasta que no termines de dar las aguadas, puesto que eso lo alteraría y podría causar manchas al secarse la pintura.

4 Después del último trazo exprime la humedad restante del pincel y utilízalo para absorber los residuos de líquido del borde inferior. La aguada debe ser transparente incluso con color, sin manchas ni señales. Si no es así, vuelve a empezar. El secreto está siempre en mantener tu pincel impregnado con color.

5 Deja al papel secarse por sí solo en la misma posición inclinada. Si lo mueves el color puede escurrirse a la inversa.

Extender una aguada gradual

Una aguada gradual comienza con un color fuerte en la parte superior, aclarándose progresivamente hacia abajo según se añade más agua a la pintura. Estas aguadas se utilizan a menudo para crear la ilusión de espacio y profundidad cuando se pintan cielos, que aparecen en color más intenso por arriba y gradualmente pálido hacia el horizonte.

1 Comienza como con una aguada plana, extendiendo una banda llena de color intenso a lo largo de la parte superior del papel. Introduce rápidamente el pincel en agua limpia y pásalo bajo el primer trazo, recogiendo la pintura que escurre de su base.

2 Continúa hacia abajo añadiendo bandas de pintura paulatinamente diluidas. La última será muy pálida, casi agua clara. Deja secar el papel.

ARRIBA. **Aquí se dejaron secar las aguadas graduales y matizadas, y luego se agregaron los detalles con algunos trazos más resaltados.**

Extender una aguada matizada

Como en las aguadas graduales, puedes aplicar bandas de diferentes colores o valores cromáticos para crear una aguada matizada. Esta técnica suele utilizarse para pintar cielos y paisajes.

Al principio puede parecerte que tu aguada matizada sale un poco a rayas, pero con práctica aprenderás el delicado equilibrio de pigmento y agua que es preciso para crear una suave gradación de color.

TRABAJAR HÚMEDO SOBRE SECO

La acuarela puede aplicarse tanto sobre una superficie mojada como sobre una seca. Los efectos producidos son muy diferentes, y a menudo las pinturas más interesantes son las que combinan ambos métodos. Trabajando sobre una superficie seca, las imágenes tienen una forma, unos perfiles bien definidos que no se dispersan y todo está por completo bajo tu control. A pintar húmedo sobre seco se le llama a veces técnica «directa». Consigue pinturas que parecen brillar con luz propia porque inevitablemente quedan partes de papel en blanco que no toca el color.

Pueden obtenerse ricos efectos de color aplicando una aguada que se deja secar y luego otra encima de modo que el tono base se transparente. Por ejemplo, prueba pintando una aguada de color azul sobre otra seca de color amarillo y obtendrás el verde.

Descubrirás el color resultante más transparente y luminoso que mezclando el azul y el amarillo en la paleta. Esto es porque la luz del papel blanco se refleja a través de las finas capas de color.

1 Se da con el pincel una aguada de amarillo brillante y se deja secar.

2 Encima se aplica con movimiento rápido otra aguada transparente de azul para obtener el verde.

IZQUIERDA. **Este bosquejo se hizo sobre papel seco utilizando el método de pintura en «directo». Las capas transparentes de color se aplicaron una sobre otra.**

PINTAR HÚMEDO SOBRE HÚMEDO

Sin duda, los efectos atmosféricos más bonitos en la acuarela son los que se producen pintando húmedo sobre húmedo. En esta técnica el color se aplica mojado sobre el papel húmedo o bien los colores mojados se superponen uno sobre otro. Esto hace que se mezclen sobre la superficie del papel mejor que en la paleta. Se extienden y se funden todos suavemente, y se secan ofreciendo una calidad etérea y difuminada. Húmedo sobre húmedo es particularmente efectivo para pintar cielos y agua, pues produce sutiles gradaciones tonales que evocan la siempre cambiante cualidad de la atmósfera y de la luz.

Trabajar húmedo sobre húmedo requiere una coordinación segura y cuidadosa porque sólo controlas la pintura hasta cierto punto. Empapa bien tu pincel y trabaja con rapidez y seguridad dejando que los colores se extiendan y se difundan espontáneamente. Un error muy común cuando se trabaja húmedo sobre hú-

medo es disolver demasiado el color, con el resultado de que al secarse la pintura aparece pobre e insípida. Al estar ya mojado el papel puedes usar pintura untuosa; será absorbida por el papel pero mantendrá su riqueza. Debes compensarlo por el hecho de que el color al secarse quedará más claro de lo que parece cuando está húmedo.

Es mejor utilizar un papel grueso, bien estirado y firmemente pegado al tablero, para evitar que se combe y se ondule cuando se apliquen las aguadas.

ARRIBA. **Un cuadro realizado con la técnica húmedo sobre húmedo, en la cual la pintura por sí misma expresa la esencia del ambiente. Se añadieron algunos pequeños detalles cuando se secó para enfocar la imagen.**

ABAJO. **Este ejemplo ilustra el efecto de un trazo de pincel bien empapado en pintura que se aplicó sobre papel mojado. Trabajar en húmedo sobre húmedo produce manchas suaves y difuminadas que pueden emplearse para sugerir nubes, niebla o lluvia.**

CREAR CLARIDADES

Debido a que la acuarela es un medio transparente se hace imposible pintar un color luminoso sobre otro oscuro; hablando en términos generales, tienes que hacerte una idea previa de dónde tiene que estar la luz o las zonas que han de dejarse en blanco. Esta es la razón por la que es tan importante planificar primero tu pintura cuando se trabaja con acuarelas. Todas las áreas de luces y claros deben ser cuidadosamente pensadas y así poder conseguir una limpia y nítida acuarela, sin tener que recurrir al blanco opaco. Es deseable empezar con un lápiz de dibujo para establecer la posición y la forma correctas de las luces que han de reservarse.

Izquierda. **En este pequeño boceto coloreado, la forma del lago se cubrió con máscara líquida para conservar el brillo blanco del papel. Rodeado por los tonos más oscuros del paisaje, sugiere una luz brillante reflejándose en el agua.**

Usar máscara líquida

Las claridades pequeñas y delicadas en las que supone una dificultad pintar alrededor pueden rellenarse con máscara líquida antes de pintar. Esto es un líquido parecido a una solución de resina que se vende en frasquitos. Sencillamente, aplica la máscara con un pincel sobre la zona que ha de permanecer en blanco. Se seca muy deprisa formando una capa impermeable que te permite dar aguadas libremente sobre el papel sin tener que estar al tanto de evitar las formas blancas. Cuando la pintura está completamente seca, la capa de cola se quita frotando con el dedo o con la esquina de la goma de borrar.

Nunca dejes que la máscara líquida se seque en el pincel porque lo dejaría inservible. Lávalo de inmediato en agua caliente jabonosa después de usarlo para impedir que la solución de resina se endurezca y trabe las cerdas. Es buena idea tener a mano un pincel viejo para aplicarla, o compra uno barato de pelo sintético a tal efecto.

1 Utiliza un pincel viejo para aplicar la máscara líquida al papel seco. Déjala secar perfectamente antes de pintar encima.

2 El color puede darse libremente sobre la máscara líquida, que resiste a la aguada.

3 Cuando la pintura se haya secado por completo retira la máscara frotando suavemente con el dedo, y aparecerá el blanco limpio del papel.

Sacar luces

Otro método para crear luces es el de frotar levemente el color de una aguada cuando aún está húmeda, utilizando un pincel, una esponja o un papel de celulosa. Así como la máscara líquida produce luces muy duras, el frotado leve crea luces suaves y más difuminadas, ideales cuando se pintan elementos naturales como nubes, frutas y flores.

También es posible sacar brillos cuando la pintura está completamente seca. Para iluminaciones suaves, trata de quitar el color frotando suavemente con un pincel húmedo, un papel de celulosa o un lápiz corrector. Para los contrastes o las luces más perfiladas, utiliza el borde afilado de una herramienta como un cuchillo o un palillo de dientes. Se dice que Turner rascaba con la uña del pulgar en algunos puntos para sacar luces.

Una última alternativa es emplear pintura blanca de gouache (una forma opaca de la acuarela) para añadir las luces a la pintura terminada. Sin embargo, esto puede parecer tosco y bastante obvio, y debe ser utilizado con moderación.

1 Frotar el color con un papel de celulosa crea el efecto de un suave difuminado.

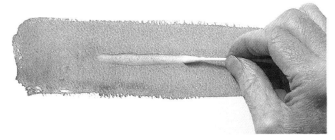

2 Un corrector es muy útil para resaltar las formas pequeñas y lineales.

3 El raspado acentuado en una zona ligeramente húmeda proporciona efectos de texturas.

4 Otra alternativa al frotado es pintar sobre una zona seca con color blanco pastoso.

ARRIBA. **Una vez que esta pintura estuvo seca, el color se raspó en algunas partes del área central para producir el brillo de la luz. Esta zona de intensas tonalidades configura el punto focal del cuadro.**

COMBINAR COLORES

El mundo del color puede ser espléndido, pero complicado, especialmente para el principiante en la pintura. Los catálogos de colores para artistas registran que hay cerca de 100 colores para elegir. Todos son preciosos y tienen su razón de ser, pero si estás empezando, es más recomendable que comiences con unos pocos. Puedes aprender acerca de ellos experimentando con distintas mezclas y combinaciones.

Así como los compositores armonizan las notas musicales para obtener un sonido melodioso, el artista debe coordinar sus colores para crear una imagen armoniosa. El problema es que los inexpertos utilizan a menudo demasiados y muy intensos, por eso el resultado final de la pintura carece de sutileza y armonía.

Una forma de evitar este hábito es tratar de pintar con una paleta limitada de colores. Todos los escolares saben que hay tres colores primarios —el rojo el amarillo y el azul— y que todos los demás pueden sacarse con la mezcla de estos. Prueba tú con el carmín, el amarillo indio y el azul de Winsor. Mezclando dos ellos se obtienen, alternativamente, los colores secundarios —naranja, verde y morado. Si mezclas los tres primarios juntos obtendrás una amplia gama de grises y marrones, los colores neutros.

Conocidos los colores, puedes hacer mezclas con los primarios, y luego puedes empezar a añadir tus tonalidades despacio y con cuidado. Compra cada vez un solo color y experimenta con él hasta que hayas descubierto todas las mezclas posibles. Otros colores que te resultarán útiles son el azul ultramar, el índigo, el azul celeste, el viridian, y los colores tierra —amarillo ocre, siena natural, siena tostado, rojo claro y sombra tostada.

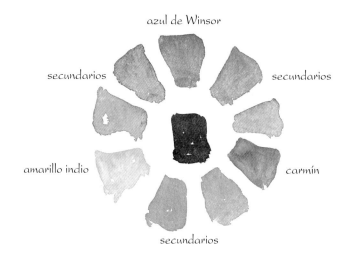

azul de Winsor

secundarios   secundarios

amarillo indio   carmín

secundarios

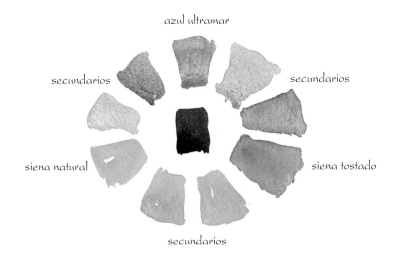

azul ultramar

secundarios   secundarios

siena natural   siena tostado

secundarios

ARRIBA. **Experimenta mezclando diferentes rojos, azules y amarillos en tu paleta de colores y descubre la infinidad de tonalidades que puedes crear. Los tres primarios utilizados arriba producen una gama de luminosos colores secundarios, mientras que con los de abajo se consiguen unos matices más sutiles y neutros.**

DERECHA. **Mezcla dos primarios para obtener el gris. Se puede conseguir una amplia escala de grises variando las proporciones de azul y rojo en la mezcla (y la proporción de pintura y agua).**

azul ultramar

siena tostado

MANTENER TUS COLORES FRESCOS

La acuarela tiene una transparencia que la diferencia de las demás clases de pintura. La luz del papel blanco pasa a través de los colores con una cualidad diáfana que da a esta especialidad su luminosidad característica. Pero si los colores se mezclan indiscriminadamente en la paleta o si se aplican demasiadas capas de color sobre el papel, pueden anularse unos a otros y quedar sucios y opacos. Cuando mezcles los colores no lo hagas tan meticulosamente que queden planos y sin

vida. Mezclados parcialmente, resultan mucho más frescos. Prueba a poner los colores por separado en un papel húmedo y mézclalos ligeramente hasta que se fusionen por el sistema húmedo sobre húmedo. De modo alternativo, utiliza el método húmedo sobre seco y aplica, una sobre otra, finas aguadas, dejando que la primera se seque antes de dar la siguiente. Evita mezclar más de dos colores a la vez; tres o más tienden a anularse el uno al otro y se enfangan.

La humedad o sequedad del pincel es un factor primordial para controlar la den-

sidad y el tono de tus colores. Para conseguir colores oscuros, por ejemplo, escurre el exceso de agua del pincel con los dedos antes de untar el color.

Ten siempre a mano una buena cantidad de agua limpia, pues la sucia contaminará los colores. Lo mejor son dos tarros, uno para enjuagar los pinceles y otro para empapar el pincel cuando se mezclan los colores.

Siempre es una buena idea probar el color en un pedazo de papel antes de llevarlo a la pintura. Es mejor obtener el color adecuado y aplicarlo luego con seguridad, que dar tres o cuatro capas pobres y sucias tratando de conseguir el tono que deseas.

El blanco único y reflectante de la superficie del papel de acuarela juega un papel indiscutible en la frescura y la luminosidad de la pintura. Por eso, no te preocupes si quedan pequeñas zonas al descubierto porque darán aire y luz a tu trabajo.

ARRIBA. **Los matices vivos se crean dejando que los colores se mezclen sobre el papel en vez de hacerlo en la paleta.**

VALORACIONES TONALES

A menudo los pintores confunden los términos color y valoración. Valoración es la luminosidad y la opacidad de una zona respecto a su color. La clave para una pintura lograda es entender y dominar las valoraciones tonales cuando te planteas tus pinturas; son más importantes que el color cuando se organiza la composición, sugiriendo las formas y transmitiendo la sensación de profundidad.

Una foto en blanco y negro no tiene colores, solo valoraciones tonales, desde el blanco, pasando por diferentes gamas de gris hasta el negro. Aún así, está claro lo que pasa, porque esas valoraciones reproducen exactamente la cantidad de luz reflejada en cada objeto de la fotografía, imposible de descifrar por el ojo.

Aunque en la naturaleza hay un número de tonos casi infinita entre el blanco y el negro, el ojo por sí mismo es sólo capaz de distinguir entre seis y nueve sin esfuerzo. En la práctica no necesitas tantos para pintar. Si hay muchos tonos y demasiado dispersos, resulta farragoso y cansa a la vista. Antes de que empieces a pintar, observa el objeto y establece las luces más claras y las sombras más oscu-

ras. Luego compara las sucesivas valoraciones tonales entre esos dos extremos. Si te resulta difícil distinguir las diferentes tonalidades, obsérvalo con los ojos entrecerrados. Eso elimina la mayoría de los detalles y el color, y te permitirá concentrarte con mayor facilidad en las valoraciones tonales.

Observa el conjunto así como los elementos que lo forman y compara un tono en relación con el otro. ¿Cuánto es el primer plano más oscuro que el cielo? ¿Los árboles son más oscuros o más claros que el primer plano? Una vez que las principales masas de color se han establecido correctamente, es mucho más fácil elaborar los volúmenes y las formas dentro de ellas.

Acostúmbrate a hacer pequeños esbozos tonales (*véanse* páginas 32-34) para organizar la distribución de las tonalidades. Cuando hayas acabado tu dibujo, tendrás un planteamiento completo para una pintura. Podrás mirar tu dibujo y ver al instante, trabajando desde lo claro hasta lo oscuro, el orden en que deben ser aplicadas las capas de acuarela.

PERSPECTIVA ATMOSFÉRICA

Debido a los efectos del velo atmosférico, los objetos en la distancia parecen más claros que los que están cerca, y los detalles y contrastes se difuminan. Para crear la ilusión de espacio y lejanía en tu pintura de paisaje, debes reproducir esos efectos reservando los tonos más fuertes y

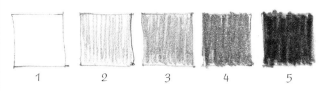

UNA ESCALA DE VALORES

Es útil una escala como la que se muestra arriba para calibrar la intensidad gradual en el color de los objetos que vas a pintar. Sólo tienes que dar a cada zona de color un valor tonal de uno a cinco, desde el más claro al más oscuro. Empieza dibujando una fila de cinco casillas en una hoja de papel. Deja la primera en blanco. Rellena la quinta ejerciendo presión con el lápiz para obtener un negro tan oscuro como puedas. Luego rellena la 2, la 3 y la 4 con trazos verticales regulando la presión para escalonarlas desde el blanco hasta las medias tintas y el negro.

CAPAS DE VALORES

Trabajando desde el valor más claro al más oscuro, el trabajo puede estar completo con tres o cuatro capas. Por lo general, los valores más oscuros se encuentran en el primer plano, sobre todo en los paisajes.

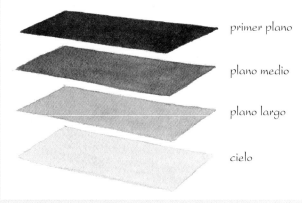

primer plano

plano medio

plano largo

cielo

los contrastes tonales para el primer plano. Cuando te acerques al horizonte, emplea matices tenues y difumina los detalles y los contrastes.

TONALIDAD Y COMPOSICIÓN

La organización de luces y de sombras en la pintura es una parte importante de la composición. Las gradaciones de luz y sombra producen interés visual y ayudan a desplazar los ojos del espectador por la pintura. El contraste de los tonos fuertes acentúa lo que quieres destacar en el cuadro, porque tiende a atraer la mirada, y por lo tanto debe reservarse para el centro de atención.

TONALIDAD Y AMBIENTE

Hay una profunda correspondencia entre la escala tonal de una pintura y la forma en que se manifiesta. Una pintura que se basa primordialmente en tonalidades oscuras transmite una atmósfera sombría y grave, mientras que otra llena de matices, luces brillantes y sombras recortadas crea una impresión vívida y alegre. Piensa en cómo orquestar la calidad tonal de tu pintura para expresar la intención que quieras transmitir.

ARRIBA. **La ilusión de lejanía espacial se ha creado en este paisaje dejando los colores del fondo pálidos y azules y los del primer plano más oscuros y cálidos.**

ARRIBA. **Cuando estaba de vacaciones descubrí de repente esta escena, con el edificio del fondo «enfocado» por el sol. Hice este apunte rápido para aprovechar las espectaculares posibilidades de los contrastes de luz y sombra.**

IZQUIERDA. **Una fuente baja de luz justo detrás del objeto produce hermosos efectos, porque su figura queda casi en sombra con todo el entorno inundado de luz.**

COMPONER TUS CUADROS

Una buena composición consiste en seleccionar formas, colores y matices en tu pintura y luego organizarlos de manera que se equilibren armoniosamente entre los límites del marco. Aunque este proceso llega a ser pronto instintivo cuando ganas experiencia, hay varias pautas básicas para que te organices por el buen camino. Merece la pena conocer el método mientras aprendes, pero tus pinturas no necesitan seguir una fórmula.

Los artistas profesionales tienden a desconfiar de las «reglas» en la composición, objetando que cada regla ha sido rota por un gran maestro en alguna que otra ocasión. Pero sólo puedes romperlas con acierto cuando las conoces, por tanto guarda las directrices en tu memoria hasta que tu sentido de la composición tenga la oportunidad de desarrollarse. Luego, sabrás inconscientemente qué hace «funcionar» a una pintura y entonces serás capaz de empezar a experimentar con ideas menos ortodoxas.

CREAR UN PUNTO FOCAL
El cuadro debe tener un punto focal perfectamente situado, una zona que atraiga espontáneamente la mirada y así establecer un lugar de atención.

Sin ello, los ojos del espectador vagan por el cuadro sin saber dónde detenerse. Es importante reflexionar dónde estará el punto focal antes de que empieces a pintar; una vez que se haya decidido, el resto de la composición puede desarrollarse en torno a este punto.

Un buen sistema para fijar la atención en el punto focal es emplear los contrastes más fuertes para esta zona, la luz recortada contra la sombra, los tonos calientes con los fríos, los brillantes con los neutros, lo grande con lo pequeño. Puede haber otros puntos secundarios de interés pero, asegúrate de que no distraigan la atención sobre el punto focal preferente.

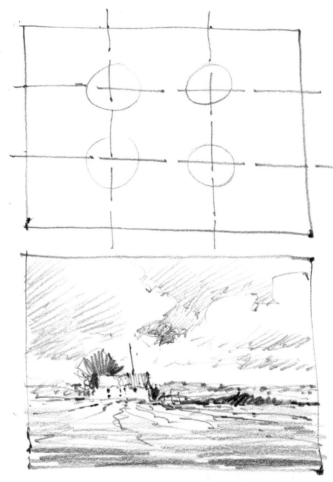

Izquierda. **Antes de empezar tu apunte dibuja en la hoja una cuadrícula como esta, dividiendo el espacio en tercios horizontales y verticales. Utiliza una de las líneas horizontales para situar el horizonte. Luego una línea vertical para fijar el punto focal del cuadro, como en mi dibujo.**

LA REGLA DE LOS TERCIOS
Parecería lógico colocar el punto focal en el centro del cuadro, pero, de hecho, esto resulta estático y monótono porque divide la composición en dos partes iguales. Para lograr que sea equilibrada y atrayente trata de aplicar la «regla de los tercios». Divide el espacio en tres cuadrículas horizontales y verticales. La intersección de las líneas forma cuatro posiciones «ideales» para atraer la atención. Al colocarlas descentradas, a menudo crean una imagen más dinámica que otra con eje central destacado.

COLOCAR EL HORIZONTE

Decidir dónde se coloca la línea del horizonte en los paisajes es un factor primordial para dar importancia al tema y equilibrar la composición en su conjunto. No es recomendable colocar el horizonte en la mitad del cuadro. Como tema central, produce el efecto de dividir la composición en dos, dejando a la mirada indecisa sobre dónde dirigirse. Para dar a tus cuadros un impacto más visual, prueba a situar el horizonte en la parte superior o inferior del centro. Por ejemplo, si quieres destacar un cielo espectacular fija la línea del horizonte en la parte de abajo del cuadro.

ARRIBA. **Una línea de horizonte bajo destaca la zona del cielo y favorece la impresión de espacio y lejanía.**

ARRIBA. **Aquí puedes ver una fórmula de horizonte bajo empleada para un boceto de color.**

DERECHA. **Otro boceto de prueba para una idea compositiva, aplicando la regla de los tercios. Observa dónde están situados el horizonte y los árboles.**

IZQUIERDA. **En este dibujo de un sencillo bodegón ha sido aplicada la regla de los tercios. Además, he elegido los objetos con cuidado y los he conjugado de manera que ofrecieran armonía, diversidad y contraste.**

DERECHA. **Aquí toda la composición está equilibrada, pero demasiado simétrica para que sea atrayente.**

UNIDAD Y DIVERSIDAD

Un cuadro parecerá equilibrado y armonioso si contiene la variedad suficiente como para que la mirada se recree en él. Por ejemplo, el uso repetido de formas y colores parecidos crea unidad, pero hemos de reconocer que demasiada repetición puede resultar monótona. Para evitar el aburrimiento visual, trata de combinar contrastes entre unidad y diversidad. Por ejemplo, incluye al menos un objeto vertical en una imagen horizontal; compensa zonas muy ocupadas con espacios vacíos; cuida el contraste entre las superficies suaves y fluidas con perfiles más fuertes; o introduce un toque de color brillante en una pintura de tonos difuminados.

IZQUIERDA. **En este dibujo el horizonte corta el cuadro en horizontal y el árbol corta el horizonte en sentido vertical, creando de nuevo una composición sin interés.**

EQUILIBRIO Y DIBUJO

Tienes que pensar en la relación entre las formas y los volúmenes de tu cuadro. El peso del color o la valoración cromática de una parte de la pintura debe contrastarse con otros similares en el resto.

Busca líneas y formas que se armonicen y encadena una zona con otra dejando que la mirada abarque toda la imagen. La pintura aparecerá desencajada si hay demasiadas formas esparcidas por la composición sin sentido de coherencia.

DERECHA. **Este dibujo tiene equilibrio y vida. La regla de los tercios ha sido empleada con acierto; el árbol grande se equilibra con el pequeño, y el camino sinuoso lleva a la mirada a recorrer el cuadro.**

Usar un visor

Cuando miramos a través del retículo de una cámara lo utilizamos para aislar un área de interés de la vista general. Una vez satisfechos con la imagen que vemos a través de él, apretamos el botón y la imagen se fija en la película.

Puedes utilizar un simple visor de cartón de modo parecido para aislar una parte concreta de la escena que quieres pintar. Enmarcando el tema de esta manera puedes comprobar que ofrece una composición apropiada.

3 Cierra un ojo y mira a través del recuadro. Muévelo acercándolo y alejándolo, arriba y abajo, a la derecha y a la izquierda, hasta que el objetivo esté bien encuadrado.

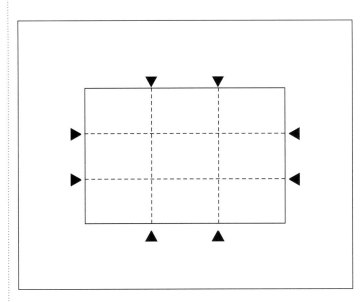

1 Para hacer un visor corta un cartón duro con las medidas de 20 x 25 cm.

4 Ahora mueve el visor de manera que el punto visual coincida con la intersección de las flechas que señalan las líneas de la cuadrícula.

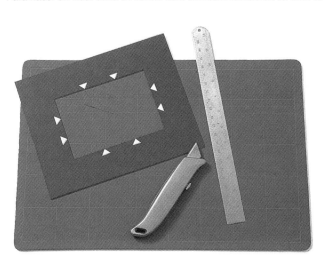

2 Recorta una ventana central de 10 x 15 cm.

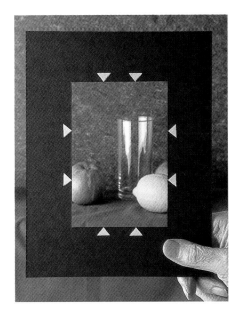

5 Te asombrará descubrir muchos más enfoques pictóricos posibles para una sola composición de lo que habías imaginado al principio. Usa tu visor constantemente; será una ayuda inestimable para encontrar y plantearte buenas ideas en la pintura.

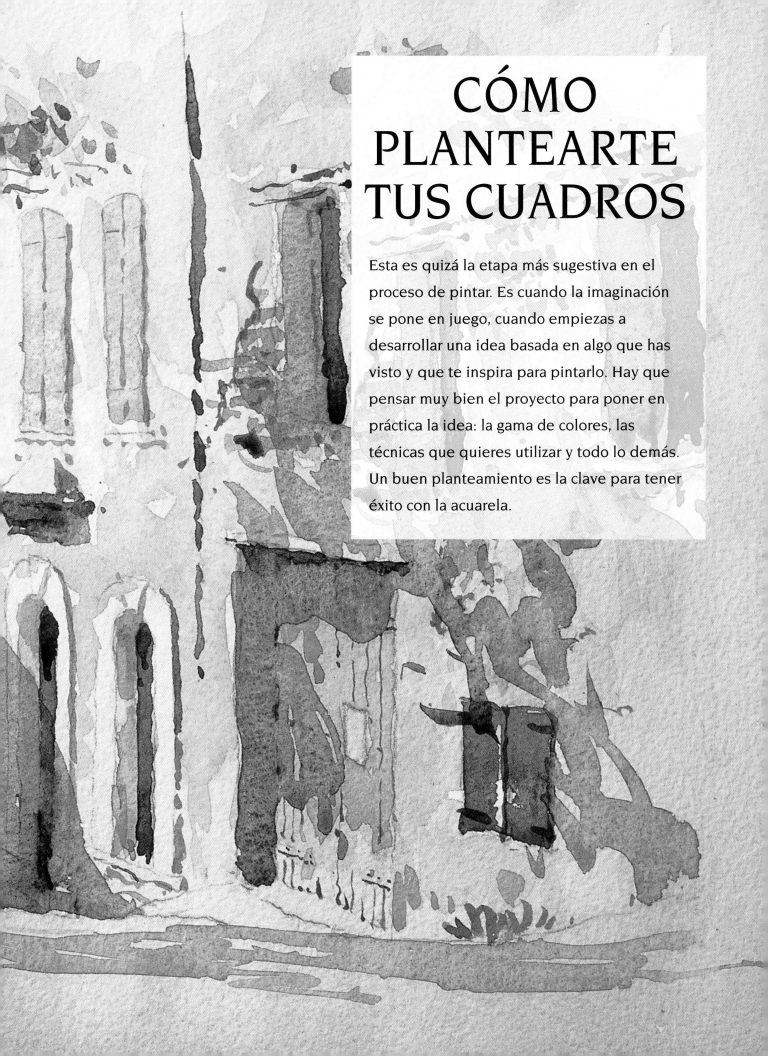

CÓMO PLANTEARTE TUS CUADROS

Esta es quizá la etapa más sugestiva en el proceso de pintar. Es cuando la imaginación se pone en juego, cuando empiezas a desarrollar una idea basada en algo que has visto y que te inspira para pintarlo. Hay que pensar muy bien el proyecto para poner en práctica la idea: la gama de colores, las técnicas que quieres utilizar y todo lo demás. Un buen planteamiento es la clave para tener éxito con la acuarela.

PREPARACIÓN PARA PINTAR

En pintura, el fracaso es generalmente resultado de la impaciencia por terminar un trabajo para colgarlo en la pared, sin detenerse a pensar qué se quiere expresar y cómo va a abordarse. Esta sección te ayudará a descubrir un enfoque más racional que te permitirá conseguir cuadros bien planteados de los que te sentirás satisfecho.

La acuarela exige un planteamiento y un juicio cuidadosos antes de que pongas tus pinceles sobre el papel. Si crees que esto suena como una ardua tarea, piénsalo dos veces, por favor. Lanzarse a la pintura sin ningún proyecto previo a menudo acaba en frustración y desengaño. Es más ¡al final te resultará divertido! El proceso de pensar y tantear, observar tu tema desde distintos ángulos, decidir la manera de representarlo, la luz, el color y los matices, hacer pequeños croquis, bocetos y estudios; todo ese trabajo preparatorio es realmente una de las partes más absorbentes y gratas del proceso de pintar. La acuarela abarca muchos aspectos sugestivos. Puede ser una ciencia, en lo concerniente al estudio de la luz, del color y las valoraciones tonales. Es también una tarea ardua en la que aprendes a utilizar tus herramientas y materiales para conseguir unos efectos determinados. Y, sobre todo, es un viaje mágico de descubrimientos personales.

Por eso, veamos en qué consiste. Básicamente, cualquier proceso creativo ha de desarrollarse en tres fases.

1 El concepto.
2 El planteamiento.
3 La ejecución.

Supón que un día decides redecorar tu salón. No sólo quieres dar una mano de pintura sino que pretendes algo más. Empiezas por hacerte una idea, por dar con el estilo particular que quieres. Entonces comienzas a pensar en los colores y en los muebles que crearán ese estilo. Te aseguras de tener el equipo y los utensilios adecuados para emprender la obra. Cuando has trabajado en ello minuciosamente estás listo para abordarla, sabiendo que todo está concertado. Un buen planteamiento hace el trabajo más fácil y con mejores resultados. Y ese mismo planteamiento se aplica para pintar cuadros.

LA IDEA
Decidir qué se pinta es quizá el paso más difícil. Adquiere la costumbre de mirar a tu alrededor a través de un visor (*véase página 29*). Descubrirás una gran ayuda para encontrar composiciones y, por lo general, buenas ideas.

Antes de pintar un cuadro es importante saber por qué quieres representar el asunto o la escena, y qué es lo que te ha atraído de ellos. Tómate tiempo para observar detenidamente tu tema. Si es un paisaje, ¿es el sol sobre los árboles lo que te gusta? ¿O quizá las múltiples formas creadas por las nubes, los árboles y las montañas? Hasta que no te des cuenta de lo que realmente atrae tu atención, no puedes saber cómo trasladarlo a la pintura.

EL PLANTEAMIENTO
Decidido el tema y el modo en que quieres reflejarlo, es necesario cierto planteamiento para transmitir al papel la imagen mental inicial. Haz bocetos y estudios en

tu cuaderno de dibujo como los que se muestran aquí. Realízalos sencillos y a pequeña escala. Tus apuntes deben ser poco elaborados y espontáneos; trata de captar la «esencia» del tema y no te pierdas en detalles. Los croquis en miniatura deben trazarse en pocos minutos y te ayudarán a organizar la disposición de las figuras, árboles y todo lo demás. La mejor herramienta es un lápiz blando pues da una graduación de tonos que va desde el gris plateado hasta el negro intenso. Descubrirás que un lápiz corto y grueso es más fácil de manejar que uno largo, y que facilita la libertad de movimientos de la mano y del brazo proporcionando trazos más fluidos.

ARRIBA. **Los dibujos tonales y los bosquejos de color suponen sólidos planteamientos para los cuadros. Contribuyen a eliminar detalles innecesarios y a depurar la imagen en tu mente antes de que empieces con la auténtica pintura. Esos dibujos nunca son una pérdida de tiempo y es lo que más se disfruta haciendo.**

Como ya hemos visto, un orden bien planteado de valoraciones tonales da cohesión al cuadro y equilibrio al dibujo. Una composición lograda consiste en pocas y grandes masas de luz, sombra y medios tonos, en vez de multitud de tonos pequeños y fragmentados.

Merece la pena hacer pruebas de tonalidades quizá algo más grandes que los croquis, en las que puedes ensayar y organizar la colocación de las luces, los medios tonos y las sombras. Concentra las zonas de tonos intensos, así crearás unas sombras bastante extensas, planas y abstractas. Limita tu tema a sus tonos luminosos, medios y oscuros más destacados, y serás capaz de juzgar si está equilibrado. Por ejemplo, una gran masa de tono oscuro en un lado del cuadro se verá desequilibrada, por eso, añade otra zona oscura al lado contrario para contrarrestarla. Los apuntes son un excelente medio para simplificar un escenario complicado y familiarizarte con el tema antes de empezar a pintar. Te despiertan la percepción y empiezas a verlo en términos pictóricos. Con la práctica, haciendo estos apuntes se gana tiempo y es mucho más fácil cambiar las cosas en esta etapa que cuando la pintura está en marcha.

1 Empiezo observando la escena a través de mi visor y decidiendo qué poner y qué quitar, y dónde situar el punto focal. Luego hago un dibujo a lápiz para probar mis ideas y, lo más importante, establecer la posición de las luces, las sombras y los medios tonos.

2 El proceso de dibujar la escena me dio la solución de cómo abordar el cuadro. No podía esperar para empezarlo, pero antes tenía que dibujar un esquema de la composición en el papel de acuarela.

EJECUTAR EL PLANTEAMIENTO

En esta fase debes estar preparado para pintar un cuadro con acierto. Sabes lo que quieres decir y cómo vas a decirlo, y también tienes que ser capaz de ver la pintura terminada sobre tu hoja de papel en blanco.

Para tu apunte preliminar has de copiar ahora el esqueleto de la imagen con ligeros trazos de lápiz sobre el papel de acuarela. Utiliza un lápiz bien afilado de grado medio como un HB o un 2B. Uno demasiado blando se emborronará al borrar, y uno demasiado duro puede marcar las líneas sobre el papel. Sujeta el lápiz sin apretarlo y, con amplios movimientos del brazo (no de la muñeca), traza ligeramente las formas generales. Pon atención en cómo encaja el dibujo en la hoja. Trabaja sobre su espacio completo, no sólo en las zonas aisladas. Si te equivocas, sencillamente traza encima la línea correcta. Si tienes que borrar, hazlo ligeramente, así no dañarás la superficie natural del papel.

Ahora estás listo para empezar a pintar a la acuarela. Ojalá que te haya gustado el proceso de esbozar un planteamiento y hayas aprendido a hacerlo. Y que, sorteando antes todos los problemas potenciales, empieces a pintar sorprendido de tu seguridad. Eso significa que puedes trabajar directamente de claro a oscuro sin hacer correcciones, así, tu cuadro quedará mucho mejor construido, más espontáneo y con mayor dominio.

La siguiente sección del libro explica el proceso de pintar de claro a oscuro con acuarela, acompañada por demostraciones «paso a paso» de diferentes artistas.

CÓMO UTILIZAR ESTE CAPÍTULO

Este libro ha sido realizado para guiarte a través de los distintos pasos que llevan a hacer una acuarela, de modo que puedas aplicar estas técnicas a tus propias pinturas. Cada sección del presente capítulo se centra en un aspecto, como crear efectos atmosféricos o el arte de pintar los detalles.

Cada parte del capítulo empieza con una introducción sobre su orientación focal. Ello te conducirá a un tema o a darte a conocer una nueva técnica. Se muestra el ejemplo de una pintura acabada, y el autor explica cómo ha utilizado la nueva técnica o el estilo que le ha dado.

Esquemas o diagramas definen la nueva técnica o estilo.

Se analiza el cuadro de una artista contemporánea para ilustrar cómo fue utilizada la nueva técnica.

Análisis de introducción a la pintura.

Relación de pinturas y materiales que necesitas.

Dibujo para mostrar la estructura básica del cuadro.

En cada sección hay dos demostraciones de «paso a paso» hechas por diferentes artistas, cada uno empleando la nueva técnica para contrastar el efecto. Estas ilustraciones te llevarán a través de cada una de las etapas que el pintor ha seguido para crear la composición íntegra. En cada una puedes ver detalladamente qué colores ha añadido y cómo se va construyendo gradualmente el cuadro.

Demostración, paso a paso, de cómo se va componiendo el cuadro y qué colores mezclar en cada fase.

El cuadro terminado, para mostrar cómo se compusieron todas las capas para completar el trabajo.

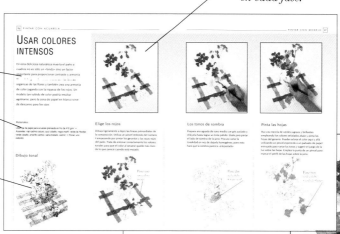

Imágenes del cuadro por separado, mostrando los colores y las mezclas de color que se añadieron en cada capa.

PINTAR DE CLARO A OSCURO

Esta sección explica y demuestra el método pictórico conocido como capas tonales o veladuras, o trabajar de claro a oscuro. Debido a que la acuarela es un medio transparente, los colores claros no pueden darse sobre los oscuros. Por lo tanto, el modo más lógico de realizar una acuarela es aplicar primero las tonalidades más claras, luego los medios tonos y por último los más oscuros.

IZQUIERDA. **En este conciso boceto de paisaje la primera capa se resume en una aguada graduada. La pintura se dejó secar antes de seguir con la siguiente fase.**

ARRIBA. **Para sugerir la media distancia se aplicó una aguada más oscura.**

IZQUIERDA. **La última capa, de valores más oscuros, acerca el primer plano creando distancia espacial.**

Si has prestado atención hasta aquí, sabrás lo importante que es un dibujo preliminar para el éxito de tus acuarelas.

Un simple lápiz de dibujo te mostrará a primera vista dónde deben estar las luces, los medios tonos y los oscuros, así sabrás de antemano en qué orden aplicar las capas de pintura sobre el papel. ¡No puede ser más sencillo!

Ahora, todo lo que tienes que hacer es dar en primer lugar la aguada de color más clara. Si en alguna zona de la imagen, como la parte alta de una nube iluminada por el sol, queda el papel al descubierto, puedes pintarla alrededor o rellenarla con máscara líquida y dar una aguada encima. Cuando la aguada del fondo se haya secado, puedes aplicar la segunda capa –los medios tonos– sobre ella, dejando sin cubrir las zonas que deben permanecer en claro. Recuerda siempre esperar a que cada capa se seque antes de aplicar la siguiente. Si no lo haces, los dos colores se mezclarán o la aguada puede secarse descubriendo marcas o rayas indeseables. Si trabajas en el interior, puede utilizarse un secador de pelo para acelerar el secado si fuera necesario. Las masas de los árboles –las tonalidades más oscuras– se aplican después, recordando que ha de secarse antes la segunda capa. Esto completaría la pintura, o si lo deseas, añadir uno o dos detalles más oscuros que serían la cuarta capa.

Este acercamiento metódico tiene su sentido, porque no puedes permitirte cometer errores en la acuarela. Si te lanzas a

la ligera y luego empiezas a cambiar de idea retocando la pintura, te encontrarás con que los colores se enfangan y el resultado es que se va perdiendo la frescura y la transparencia que caracteriza a una buena acuarela.

Si, por el contrario, empleas la técnica de las capas tonales y te planteas las cosas con antelación, tendrás la seguridad de dar una aguada y dejarla sin tocar antes de aplicar la siguiente. Cuando hayas acabado el cuadro puedes completarlo con una serie de aguadas ligeras y transparentes que dejarán traslucir la blancura del papel dándole a los colores una extraordinaria luminosidad. Si empiezas con aguadas claras y extendidas, y luego superpones una gama de colores oscuros ampliando las tonalidades, conseguirás dar a tu acuarela una calidad rica y translúcida.

EL FRONTISPICIO AZUL
NEIL WATSON

Este estudio de portada clásica tiene una espléndida calidad pictórica que se alcanza por el contraste entre las aguadas diseminadas y el dibujo cuidadosamente detallado. Dejando las partes más claras de la imagen con el papel desnudo, el artista empleó un pincel plano para dar toques de color muy pálido, casi evanescente, sobre las paredes y la puerta. Luego continuó con una serie de aguadas más oscuras aplicadas en húmedo sobre seco para dar profundidad, contraste cromático y vida al cuadro. Las pinceladas dispersas animan la imagen y también sugieren la textura antigua y erosionada por el tiempo de la piedra.

IZQUIERDA. **El interior en sombra del soportal no se pintó con una sola aguada de color oscuro intenso; en vez de eso, el artista lo resolvió con aguadas superpuestas para conseguir una sensación palpable de sombra y reflejos de luz.**

CAPAS TONALES

Un sencillo paisaje abierto como este ilustra perfectamente por sí mismo la clásica técnica de la acuarela, trabajando de claro a oscuro.

El factor clave en el logro de este cuadro es el dibujo preliminar a lápiz, cuidadosamente observado, en el que el artista ha fijado las formas esenciales y las masas de color. El dibujo es un planteamiento completo de la pintura, indicando el orden en el que hay que aplicar las sucesivas aguadas de acuarela. Puede verse que el cielo a lo lejos es claro, como también la orilla del río. Las montañas del fondo son pálidas y azuladas para darles profundidad. Las más cercanas y los árboles se colorean luego, y, por último, se pintan los árboles más oscuros y los reflejos del agua.

Materiales

Una hoja de papel de acuarela prensada en frío de 410 g/m² • Acuarelas: azul ultramar, rojo claro, siena natural, siena tostado, rojo cadmio, rosa permanente, amarillo indio, índigo, negro • Pinceles: uno plano de 25 mm y otro redondo del número 14 • Una plumilla

Dibujo tonal

Aplicar las aguadas del fondo

Mezcla por separado un azul y un amarillo cálidos (*véase* abajo) en partes distintas de la paleta. Diluye los colores con bastante agua para hacerlos pálidos y transparentes. Empapa un pincel plano de 2,5 cm en la aguada azul y pinta los dos terceras partes superiores del cielo. Lava el pincel y pinta el siguiente tercio con la aguada amarilla para representar el reflejo del sol. Sigue hasta el nivel medio hacia abajo, luego vuelve a la aguada azul para pintar el agua.

Fase uno

azul ultramar + rojo claro

siena natural + siena tostado

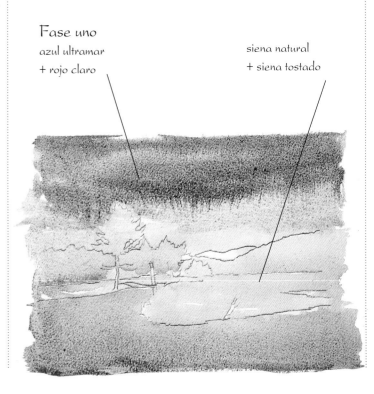

El paisaje del fondo

Comprueba que las aguadas de base están
completamente secas antes de empezar a construir
los colores y las valoraciones cromáticas del paisaje.
Prepara una aguada ligera de azul intenso y aplícala
sobre los árboles y las montañas del fondo con un
pincel redondo del número 14. Deja secar la pintura.

La media distancia

Ahora empieza a intensificar los tonos de la media
distancia –los árboles y las montañas más próximos y
los reflejos del agua– con una aguada más fuerte de
azul, esta vez con un tinte violeta. El matiz de cada
capa de color tiene que haber sido muy bien
pensado, y no sería mala idea probar antes en un
trozo de papel sobrante. Advierte cómo esta aguada
ha dado profundidad a las montañas del fondo,
aumentando la ilusión de que el paisaje se pierde en
la lejanía.

Fase dos
azul ultramar
+ un poco de rojo
cadmio

Fase tres
azul ultramar
+ rosa permanente

Añadir los colores cálidos y fríos

Al igual que los tonos suaves parecen retroceder mientras los fuertes se imponen, los colores fríos son dominados por los cálidos. Por eso, para acentuar más la sensación de espacio y distancia, aplica una aguada de verde frío sobre los árboles y luego insinúa las cañas y hierbas secas del primer plano con colores tierra cálidos (*véase* abajo). Deja secar la pintura.

Trabajar los oscuros

Ahora da a la pintura un poco de fuerza haciendo más poderosos los oscuros. Mezcla un verde muy umbrío para sombrear algunas partes del árbol que está en primer plano reflejado en el agua. Mezcla un marrón denso y oscuro para las sombras de las cañas y del agua.

Fase cuatro
azul ultramar
+ amarillo indio

siena tostado
+ siena natural
+ rojo cadmio

Fase cinco
índigo
+ amarillo indio
+ negro

siena tostado
+ rojo cadmio

Fase seis

siena tostado
+ negro

PAISAJE DE NUEVA INGLATERRA

ALAN OLIVER

Acentúa algunas de las sombras del primer plano con toques de marrón muy oscuro y pinta la base del poste del puente de madera. Luego oscurece la aguada aún más y finaliza dando unos toques sobre las cañas secas que sobresalen del agua con una plumilla. Moja la plumilla en un pincel cargado de pintura.

MANTENER LOS COLORES LIMPIOS

La naturaleza líquida y transparente de la acuarela la hace ideal para captar las formas gráciles de las flores. Este sencillo jarrón de girasoles fue pintado con la técnica de húmedo sobre húmedo, donde la artista aplicó los colores espontáneamente dejándolos acoplarse unos con otros sobre la superficie húmeda del papel.

Su primer paso fue hacer un bosquejo a lápiz para definir las zonas principales de luz y sombra del tema. Estableciendo antes las valoraciones tonales y cromáticas, la artista sabía exactamente dónde empezar y en qué orden disponer las capas tonales, desde los valores más claros a los más oscuros. Así pudo aplicar sus colores con seguridad y dejar que las aguadas secaran tranquilamente. Los colores frescos y claros son esenciales en la pintura de flores.

Materiales

Una hoja de papel para acuarela prensado en frío de 410 g/m² • Acuarelas: azul cobalto, azul de Winsor, violeta de Winsor, quinacridona oro, aureolín, verde Prusia, verde savia • Pinceles: uno redondo del número 12

Dibujo tonal

Los tintes del fondo

Dibuja ligeramente los perfiles de la composición floral con un lápiz blando. Humedece la superficie con agua limpia utilizando un pincel redondo del número 12. Mientras el papel está húmedo todavía, aplica aguadas dispersas de azul pálido, violeta y amarillo sobre el fondo, luego amarillo pálido a las flores y las hojas. Déjalo secar completamente.

Fase uno
violeta de Winsor

aureolín

azul cobalto

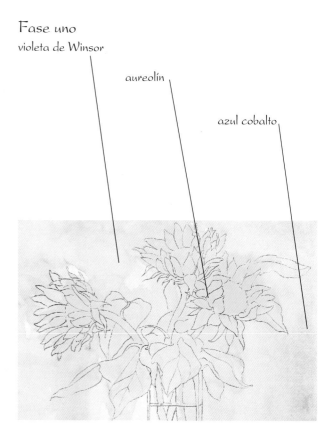

Resalta las flores

Mezcla una sombra intensa de amarillo (*véase* abajo), manteniendo la aguada todavía ligera y transparente. Humedece con agua las partes centrales de las flores, luego aplica el color y deja que se extienda; esto dará un bonito efecto de perfiles suavizados. No te preocupes si la aguadas sobrepasan lo límites del dibujo, porque da vida y movimiento a las flores.

Trabaja las hojas

Comienza con los dos verdes transparentes señalados abajo, define los tonos medios de las hojas humedeciendo antes el papel en las zonas previstas y deja que los colores se extiendan por encima de los trazos del lápiz. Mientras estas primeras aguadas están húmedas, da unos toques sobre ellas con algunos azules, dorados y violetas. Esta técnica de húmedo sobre húmedo produce vívidas gradaciones de color. Deja secar la pintura.

Fase dos
aureolín
+ quinacridona oro

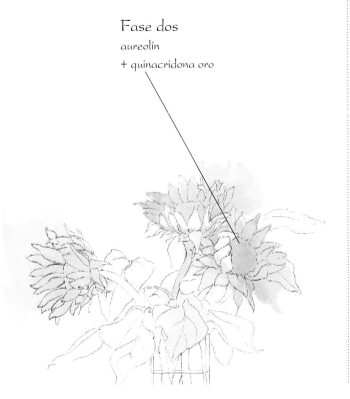

Fase tres
quinacridona oro
verde savia
verde Prusia   *verde savia*
violeta de Winsor
azul cobalto

Añade las sombras del fondo

Mezcla por separado aguadas de azul y violeta en tu paleta. Da toques amplios y desperdigados a todo lo largo de la esquina superior izquierda del cuadro. Varía las aguadas dejando que los tres colores se mezclen sobre el papel. Trabaja con cuidado alrededor de las formas de los pétalos. Deja que una aguada ligera de violeta cubra la flor de la izquierda que está en sombra.

Fase cuatro
violeta de Winsor

violeta de Winsor
azul de Winsor
azul cobalto

Trabaja el jarrón

Utiliza azules y verdes para sugerir los tonos sombreados del jarro de cristal. Continúa trabajando húmedo sobre húmedo, así los colores se fundirán suavemente unos con otros. Deja pequeñas ranuras de papel en blanco para sugerir los reflejos de los ángulos de la superficie del jarrón y del agua que contiene.

Fase cinco
verde Prusia

azul cobalto
violeta de Winsor

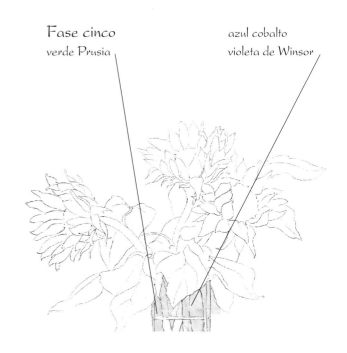

Define los girasoles

Empieza a definir las formas de los girasoles modelando con luces y sombras. Prepara una mezcla de amarillo cálido y dorado, y pinta el centro interior de las flores y de las partes sombreadas de los pétalos. Cuando seque, añade capas adicionales de color para sugerir las sombras más profundas. Mezcla un tono fresco y transparente de sombra a base de azul y violeta y pásalo por los pétalos de la flor de la izquierda, que está en un plano más oscuro que las otras.

Define las hojas

Ahora sigue concretando las formas de las hojas con más capas de aguadas. Emplea una variedad de verdes, azules y violetas en tonos cálidos y fríos (*véase* abajo). Haz las aguadas finas y transparentes y aplícalas una sobre otra modelando gradualmente las formas de las hojas. Observa qué partes están en sombra y qué otras reciben la luz, y píntalas en consecuencia cálidas o frías. Deja ranuras estrechas de papel en blanco para sugerir las venas de las hojas.

Fase seis
quinacridona oro
+ violeta de Winsor
+ azul cobalto

quinacridona oro

Fase siete
verde savia
verde Prusia
azul de Winsor
violeta de Winsor

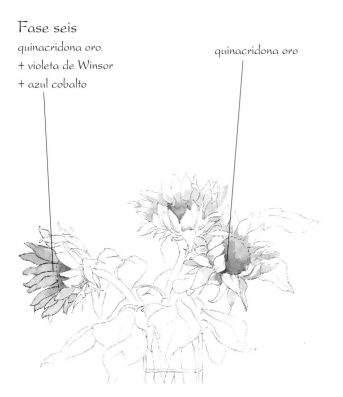

Añade los valores más oscuros

Con la luz y los medios tonos establecidos, ya pueden aplicarse los valores más oscuros. Mezcla amarillo dorado con una pizca de violeta y empléalos para definir las partes más oscuras del núcleo central de los girasoles. Recuerda siempre graduar las aguadas para obtener el mejor resultado.

Fase ocho
quinacridona oro
+ violeta de Winsor

Oscurece el fondo

Para resaltar la luminosidad, las gamas cálidas de los girasoles, es necesario oscurecer el fondo con aguadas adicionales de azul, verde y violeta. Como antes, mezcla por separado los tres colores y aplícalos húmedo sobre húmedo de modo que también se fusionen unos con otros sobre el papel, teniendo cuidado de no sobrepasar los bordes de las flores. Utilizando los mismos azules y verdes, oscurece las hojas en la zona sombreada de la composición.

Fase nueve
verde Prusia
azul de Winsor

violeta de Winsor
azul cobalto
verde savia

verde savia

violeta de Winsor

Fase diez

violeta de Winsor
+ verde Prusia

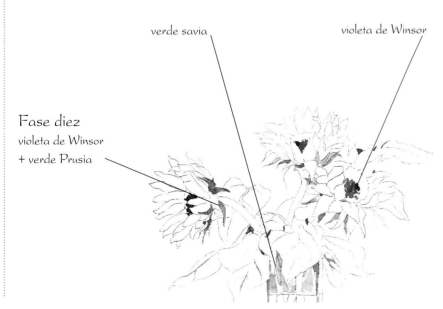

GIRASOLES
ADALANE FLETCHER

Los toques finales para las sombras intensas y frías deben aplicarse ahora. Mezcla varios tonos de verdes oscuros y violetas y aplícalos, como se muestra, empleando la punta de un pincel.

Durante la ejecución de la pintura, cada capa húmeda se ha dejado secar por completo antes de continuar con la siguiente. Si estás trabajando en el interior, puedes utilizar un secador de pelo para acelerar el secado. El acabado de la pintura parece tener vida porque la artista ha explotado el contraste de la luz, la calidez de las flores y las sombras frías del fondo.

TÉCNICA DE CLARO A OSCURO

Estos dos cuadros muestran el método de claro a oscuro empleado para dar un buen efecto, y ambos utilizan la técnica de húmedo sobre húmedo para dar profundidad atmosférica. Aunque las áreas luminosas no pueden reservarse cuando el papel está completamente mojado, en la *Playa de Brighton* se han creado dando una ligera aguada de color para obtener claridades suavemente difuminadas. Por otra parte, las luces fuertes pueden lograrse dejando el papel seco en esas zonas, así el color no se extenderá a ellas.

PLAYA DE BRIGHTON
ALAN OLIVER

Sistema de trabajo

El cuadro se hizo mediante una combinación de memoria y un boceto tonal sacado del natural. El artista utilizó solo cinco colores: siena natural, rojo claro, azul ultramar, azul celeste y viridian.

1 No se hizo dibujo preliminar. El papel se humedeció entero con agua limpia y se dio una serie de suaves tintados al fondo con un pincel plano de 32 mm. Para el cielo se utilizó siena natural; azul celeste y viridian para los edificios del fondo, y rojo claro mezclado con azul ultramar para el primer plano.

2 Cuando el papel se secó por completo se trazaron unas pocas líneas con una pluma mojada en tinta marrón para sugerir detalles y perfiles.

3 Trabajando gradualmente, se aplicaron luego los oscuros y los medios tonos utilizando una mezcla de azul ultramar y rojo claro.

4 Algunas partes pintadas se lavaron para producir luces suaves.

5 Unas cuantas figuras a media distancia dieron movimiento y perspectiva a la imagen.

6 Para los valores más oscuros se emplearon también el azul ultramar y el rojo claro, pero de manera menos diluida.

7 Por último, se añadieron algunas luces más intensas para dar contrastes, utilizando pintura blanca de gouache.

Puntos clave del planteamiento

- Prepara la composición y la distribución de valoraciones tonales antes de pintar.
- Ten dispuesta una buena cantidad de aguadas ya mezcladas antes del inicio.
- Una vez que comiences con el fondo trabaja rápido, antes de que el papel empiece a secarse.

DESEMBARCO NOCTURNO
JOYCE WILLIAMS

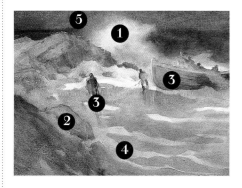

Sistema de trabajo

El artista realizó esta pintura memorizando una experiencia personal. Hizo varios dibujos con el fin de ajustar la estructura, dando movimiento a los elementos para obtener una composición impresionante.

Los colores empleados fueron el aureolín, rosa malva, azul cobalto, negro marfil y azul manganeso.

1 Se empapó todo el papel con una aguada ligera de aureolín y rosa malva, excepto las zonas blancas del agua.

2 Cuando la primera aguada se secó, se utilizaron los mismos colores añadiendo azul cobalto para las rocas, la barca y las figuras. Los colores se dieron por separado dejando que se fundieran en el papel.

3 Después de secarse esas capas se añadieron las sombras de las rocas, de la barca y las figuras utilizando rosa malva y azul cobalto.

4 Los dos azules y el aureolín se dieron en las rocas, y los azules solos para las sombras del agua.

5 Se pintó entonces el cielo utilizando aguadas de los tres colores más el negro, con mayor cantidad de negro para las zonas del agua. Los perfiles se insinuaron tenuemente, sin bordes duros, para que las capas de color superpuestas, suavemente lavadas, retuvieran la luz.

Puntos clave del planteamiento

- Observa con atención los movimientos de las olas y memorízalos.
- Trata de concebir una pintura de memoria. Si fracasas, practica este arte. Puede ser muy útil.

PINTAR DETALLES

No existen reglas fijas sobre cuántos detalles hay que incluir en una acuarela. Eso queda para el criterio del pintor y su relación emocional con la temática elegida, pero naturalmente algunos temas exigen un tratamiento más detallado que otros. Necesitas encontrar un nivel medio en el detalle que no parezca demasiado trabajado, sobre todo si el tema a primera vista resulta muy complicado.

Vale la pena recordar que pintar no es copiar la naturaleza sino interpretarla. Si pretendes decir demasiado puedes acabar no diciendo bien nada. Tienes que aprender a ser selectivo para identificar lo más importante del tema y excluir o simplificar todo lo que pueda restarle ese protagonismo. Una forma de actuar es trabajar de lo general a lo específico. En primer lugar divide tu pintura en amplias zonas generales, luego introduce los detalles y los pequeños motivos.

El ojo es atraído hacia las áreas de detalles o los contrastes fuertes, por eso concéntralos alrededor del punto focal y minimízalos en otro lugar. Algunos de los cuadros más logrados tienen un pequeño detalle que compensa los grandes planos, motivos que proporcionan al espacio un grato «respiro».

Generalmente, los detalles están pintados con pinceladas pequeñas pero esto a veces puede dar una imagen forzada, recargada. Es mejor utilizar un pincel más grande que favorece una aproximación más ancha, más libre. Siempre que tenga una buena punta, puede emplearse un pincel grande para las líneas finas y los detalles.

Una simple pluma de caligrafía con plumilla de acero es también una excelente herramienta para los detalles menudos, y puede cargarse con tinta o con acuarela. La fuerza o la vivacidad de las marcas de la pluma contrastan bien con la transparencia de las aguadas de acuarela.

IZQUIERDA. **Los detalles pueden ser útiles para dirigir la mirada del espectador al punto focal de un cuadro. La mayoría de las veces suelen ponerse en el primer plano o a media distancia.**

DERECHA. **Aquí, el pequeño fragmento detallado en la lejanía forma un contrapunto al extenso espacio del primer plano. Esta inversión de la práctica usual que sitúa los detalles en primer término, la hace una composición llamativa y da sensación de profundidad cuando la mirada recorre el cuadro.**

DERECHA. **La plumilla puede emplearse para resaltar algunos detalles en una composición. Estos contrastes entre las amplias aguadas y los finos detalles lineales resultan a veces muy efectivos en una acuarela.**

MORAS Y COSMOS
WILLIAM C. WRIGHT

He aquí un artista al que le gusta observar los objetos en detalle y fijar el modo en que la luz cae sobre ellos. Realizar un cuadro detallado como este lleva muchas horas, pero demuestra lo que puede conseguirse con los medios de la acuarela. Esta técnica encierra una gran parte de dibujo minucioso y dominio del pincel, y revela un alto grado de destreza y de arte.

Aunque la composición de esta naturaleza muerta se muestra fresca y natural, probablemente fue planteada con gran cuidado. Imagina qué fácilmente puede cambiar la composición con sólo girar la mesa unos pocos grados. El cuenco de moras en primer plano se convierte en el punto focal porque está ligeramente separado de los demás objetos de la mesa, sin embargo se enlaza con ellos por la forma rotunda de la sombra que se superpone sobre el plato. Las luces destacadas en las moras ayudan a concentrar la mirada en este punto focal.

Para conseguir la frescura y la claridad del detalle requeridas, el artista ha empleado la técnica de las capas tonales trabajando progresivamente desde los valores más claros hasta los más oscuros. Los colores se aplicaron sobre papel seco, el cual «agarra» la pintura de manera que al secarse queda con un perfil muy definido, y a cada capa de color se la dejó secar antes de aplicar la siguiente.

IZQUIERDA. **Cuando se define el detalle en esta naturaleza muerta, a menudo es necesario aplicar toques de color empastado para las luces, porque trabajar alrededor de zonas muy pequeñas de papel en blanco sería demasiado complicado. La mayoría de los artistas utilizan en estos casos pintura blanca de gouache, ya que puede darse espesa y cubriente, o líquida para lograr un efecto semitransparente.**

CUBRIR DETALLES

En este paisaje la artista quiso destacar los pequeños brillos de la luz aprovechando las propiedades reflectantes del papel en blanco. Procuró perfilar las formas menudas y complicadas que exigían cierta delicadeza, por eso las rellenó provisionalmente con máscara líquida (*véase* página 20).

Utilizando una fotografía como referencia, empezó haciendo un boceto con lápiz blando. Eso la ayudó a familiarizarse con el tema y a realizar una composición acertada. Se aseguró de estudiar el ajuste de la luz y de los tonos oscuros, que son tan importantes para captar el efecto de luminosidad y ambiente en el paisaje.

Materiales

Una hoja de papel para acuarela prensada en frío de 410 g/m² • Acuarelas: azul cobalto, sombra tostada, amarillo gamboge, siena natural, índigo • Pinceles: números 1, 2 y 6 • Máscara líquida

Dibujo tonal

Cubrir los detalles

Haz un ligero esbozo a lápiz para definir las formas más importantes. Utiliza máscara líquida para rellenar las figuras de las ovejas y «trazar» las líneas del alambre del cercado. Es aconsejable tener un pequeño pincel de pelo sintético especialmente para esto, y evitar así el deterioro de tus mejores pinceles. Deja que la máscara se seque y lava el pincel inmediatamente.

Fase uno
máscara líquida

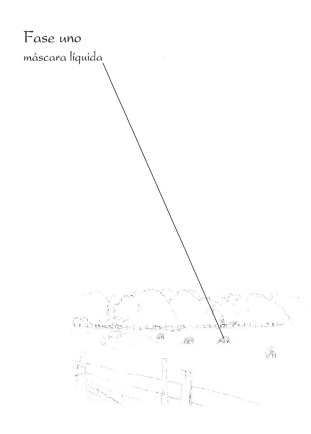

La aguada del fondo

Haz una aguada transparente de azul pálido y frío. Pásala en pinceladas dispersas sobre el cielo y las siluetas de los árboles con un pincel del número 6. Esta aguada azul se verá a través de los verdes aplicados después a los árboles, favoreciendo la ilusión de lejanía (te habrás dado cuenta de que los verdes cerca del horizonte se ven más fríos y más azules que los que están más próximos).

La aguada del primer plano

Cuando la azul esté seca, mezcla una aguada de amarillo cálido y radiante sobre la zona del primer plano. Como las ovejas están cubiertas todavía con la máscara, puedes pintar por encima. Fíjate en cómo el artista ha trabajado con trazos sueltos; esto produce un efecto más espontáneo que una capa uniforme de color.

Fase dos
azul cobalto
+ un poco de sombra
tostada

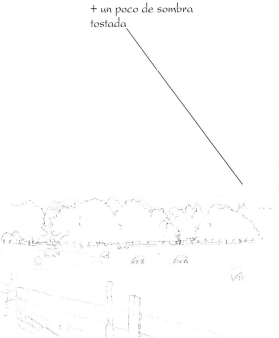

Fase tres
amarillo gamboge
+ un poco de siena
natural

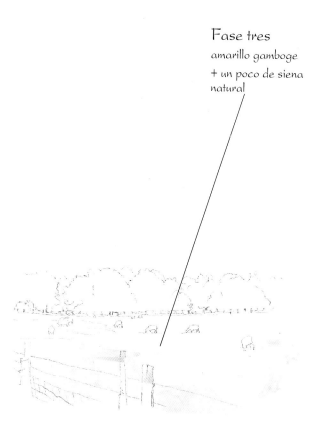

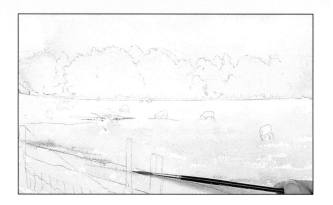 

Añadir las sombras proyectadas

Antes de que se seque el amarillo, pasa el pincel en algunas sombras proyectadas para resaltar el primer plano. Se preparan mezclando el azul y el amarillo (*véase* abajo); emplea en la mezcla una proporción mayor de amarillo para obtener sombras cálidas, y mayor cantidad de azul para las más frías y oscuras. Como las sombras se aplican en húmedo sobre húmedo, se secan con bordes muy suaves, ofreciendo un efecto muy natural.

Los árboles del último plano

Ahora haz una mezcla más fuerte y más oscura del color empleado en la fase dos y pinta los árboles más lejanos usando el pincel del número 3. Esto ayuda a lograr el efecto tridimensional, distanciados unos de otros, en vez de una fila plana y monótona de árboles alineados. Una pizca de azul con marrón dará el gris. Es un color muy conveniente para sugerir la distancia.

Fase cuatro
amarillo gamboge
+ índigo

Fase cinco
azul cobalto
+ sombra tostada

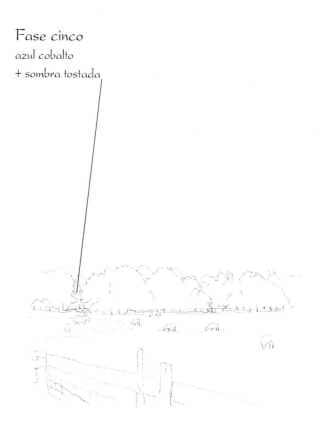

Añadir las luces cálidas

En la escena la luz del sol viene desde la izquierda, por eso, la parte izquierda de los árboles está iluminada por un brillo cálido. Para captarlo, pinta estas zonas con una aguada de amarillo brillante y cálido utilizando un pincel del número 3. Los amarillos siempre recrearán el fulgor del sol y darán vida a los paisajes.

Añadir los verdes fríos

Las partes en sombra de los árboles, en el lado opuesto al sol, tienen igualmente tonos fríos. Pinta estas áreas de medios valores con un gris azulado. Trata de variar el acento y la densidad del color para sugerir los volúmenes del boscaje (*véase* abajo). Repara en cómo el artista ha dejado pequeños resquicios de papel sin tocar para insinuar el destello del sol entre las hojas.

Fase seis
amarillo gamboge

Fase siete
amarillo gamboge
+ azul cobalto

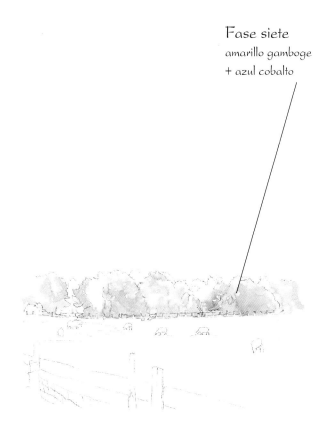

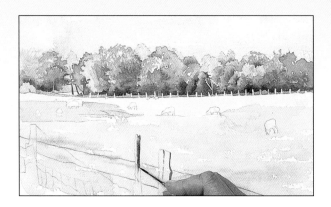

Pintar las sombras

Antes de que los medios tonos verdes se hayan secado, pinta las sombras oscuras en la parte de abajo de los árboles con un gris intenso mezclando azul y marrón. Los árboles no están acabados y puedes ver cómo el contraste de verdes cálidos y fríos modela perfectamente sus formas tridimensionales y crea el efecto de la luz viniendo desde la izquierda. Cambia al pincel número 1 y utiliza la misma mezcla de gris para pintar el alambre del cercado y las sombras de las estacas.

Sombrear el primer plano

Utilizando un pincel del número 6, superpón nuevas aguadas de medios tonos verdes en el primer plano, procurando evitar los maderos del cercado. Alterna la intensidad de las aguadas para sugerir las irregularidades del terreno y para romper la extensión del primer plano.

Fase ocho
índigo
+ sombra tostada

Fase nueve
azul cobalto
+ amarillo gamboge

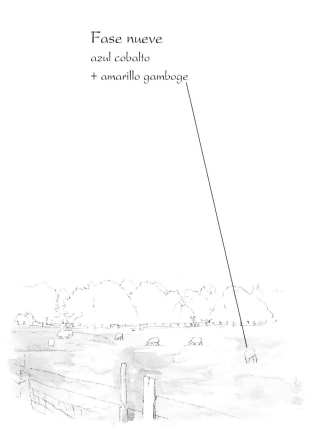

Fase diez

índigo
+ sombra tostada

Deja que la pintura se seque por completo. Ahora, despega la máscara líquida con el dedo o con la esquina de una goma de borrar para dejar al descubierto las formas blancas de las ovejas y del alambre de la cerca. Obtén un gris oscuro y utilízalo, con el pincel del número 1, para dar unos toques en los bajo costados de las ovejas, así como en sus cabezas y patas. Pinta también sus sombras proyectadas en el suelo, suavizando el trazo con un poco de agua. Por último, añade unas cuantas sombras en el alambre del cercado para completar el cuadro.

AGUADA Y LÍNEA

Las iglesias y catedrales son temas fascinantes, con una gran riqueza de detalles. El problema es saber cómo simplificarlos en tu pintura para no recargarla, y un bosquejo preliminar como el que aparece abajo puede ser un comienzo provechoso.

El secreto está en concretar primero el edificio ciñéndose a lo esencial de sus formas, y añadir la decoración después. En este estudio de una portada de una catedral la artista ha extendido amplias aguadas de acuarela para sugerir la configuración y el volumen del magnífico edificio, mientras que las finas líneas a pluma describen la arquitectura y el detalle. Tanto el pincel como la pluma han de manejarse con soltura para captar la esencia del tema sin copiar detalle por detalle.

Materiales

Una hoja de papel para acuarela prensada en frío de 410 g/m² • Un lápiz • Acuarelas: amarillo gamboge, limón cadmio, amarillo ocre, azul ultramar, sepia rojiza, gris oscuro, sombra natural, rojo tierra, verde cobalto, sepia • Pinceles: dos planos de 18 mm y 10 mm, y uno redondo del número 14 • Una plumilla

Dibujo tonal

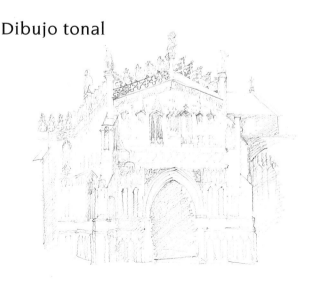

Aplica la aguada

Dibuja el perfil de la catedral y algunos detalles. Mezcla los colores indicados abajo y dilúyelos para hacer una aguada ligera. Pásala en trazos amplios y dispersos sobre el edificio utilizando un pincel plano de 18 mm y dejando trozos de papel en blanco. Esta primera aguada da a la piedra un cálido brillo.

Fase uno
amarillo gamboge
+ limón cadmio
+ amarillo ocre

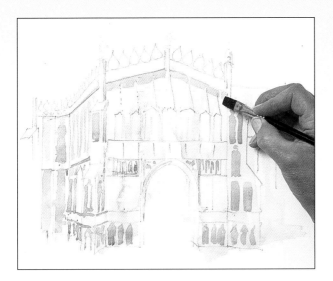

Añade los medios tonos

Obtén una aguada de gris azulado y pásala en las zonas de los valores medios, es decir ventanas, puertas y sombras que producen los salientes arquitectónicos. Emplea para ello el borde afilado de un pincel plano de 10 mm y no quieras cubrir las sombras por completo; el efecto es más natural cuando se da de un solo trazo. Deja secar la pintura.

Da las sombras

Emplea un pincel redondo del número 4 para destacar las sombras de las ventanas y de los relieves, en la parte de arriba de la fachada, con un gris más oscuro. Varía los tonos añadiendo más agua en algunas partes para sugerir el juego de luz. Usa un pincel plano de 10 mm para cubrir los muros posteriores y la puerta, añadiendo esta vez más marrón y algo de azul a la aguada (*véase* abajo). Deja que los colores se mezclen sobre el papel con la técnica húmedo sobre húmedo.

Fase dos
azul ultramar
+ sepia rojizo
+ malva permanente
+ gris de Payne

Fase tres
gris de Payne
+ sombra natural

azul ultramar
+ gris de Payne
+ sombra natural

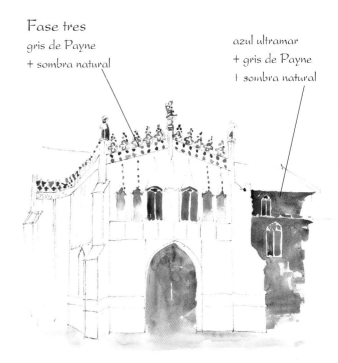

Agrega algo de calidez

Continúa añadiendo sombras en los huecos repartidos por la pared con un gris amarillento y déjalo secar. Luego puedes destacar los detalles del frontis de la catedral utilizando tonos tierra cálidos con un pincel redondo del número 4.

El cielo y la cubierta

Cubre los tejados con un verde azulado frío. Luego pinta el cielo con una aguada de azul pálido, moviendo el pincel en distintas direcciones para que no quede demasiado plano. Insinúa el cielo rellenando la tracería decorativa y también a lo largo de todo el remate superior.

Fase cuatro
gris de Payne
+ amarillo ocre

rojo tierra
+ amarillo ocre

Fase cinco
azul ultramar

verde cobalto
+ azul ultramar

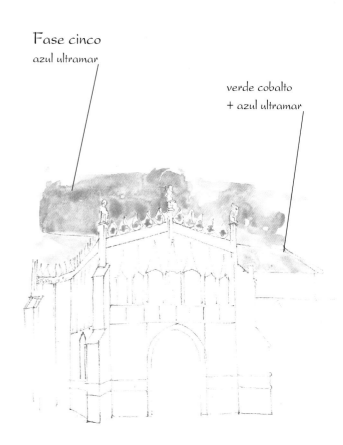

Fase seis

gris de Payne
+ sombra natural
+ sepia

KAY OHSTEN

Cuando la pintura esté seca puedes añadir los últimos detalles lineales utilizando una plumilla. Emplea los colores señalados a la izquierda alternando el gris y el marrón. Moja la punta de la plumilla con el pincel. Da los trazos libremente, sirviéndote de las líneas del lápiz sólo como simples guías. Para acabar, insinúa las tallas y relieves pintando algunos rasgos sueltos salpicados por la fachada.

PINTAR AL DETALLE

Estos dos artistas se han servido de la observación minuciosa del detalle para plasmar imágenes muy definidas.

Ambos denotan un cuidadoso estudio del dibujo y gran dominio del medio. Las dos pinturas evocan ambientes muy distintos, ya que una expresa vida y movimiento, y la otra fuerza y densidad.

PRÁCTICA AL MEDIODÍA
HENRY W. DIXON

Sistema de trabajo

Aquí el artista describe la idea prevaleciendo sobre la pintura. «En esta concisa pero trabajosa obra hay dos puntos focales, de los cuales el dominante es el saxofón mientras que la figura es el secundario.»

1 Después de hacer un dibujo preciso, el artista empezó con los valores más claros, aplicando aguadas muy pálidas sobre el alfeizar de la ventana, la mano, el rostro, las cortinas y parte del saxofón que están iluminados por el sol.

2 Se utilizaron mezclas de carmín, verde de Hooker y amarillo cadmio para crear las variaciones del tono de la piel. Para dar a la cortina más transparencia y luminosidad se frotaron los pliegues con un algodón húmedo que absorbió parte de la pintura.

3 En esta fase el artista se concentró en los detalles del saxofón, asegurándose de captar fielmente cada sombra y cada matiz. Se utilizaron mezclas de amarillo cadmio y verde esmeralda como tono dominante para resaltar la luz y las sombras en el metal del instrumento.

4 Después de aclarar el color en el lado derecho de la cortina, se aplicó una aguada de verde de Hooker y azul cobalto para destacar el reflejo de la luz y el color de la camisa del hombre.

5 Por último, las zonas más oscuras de sombra se pintaron con carmín y verde de Prusia para reforzar la estructura tonal.

Puntos clave del planteamiento

- Plantéate las zonas oscuras con atención, ya que resaltarán los puntos de luz. Se dibujó minuciosamente a lápiz el contraste de las sombras y las valoraciones tonales de la figura y de la ropa.
- No tengas reparo en lavar el color, ya sea con un pincel fuerte, un trapo o una esponja.

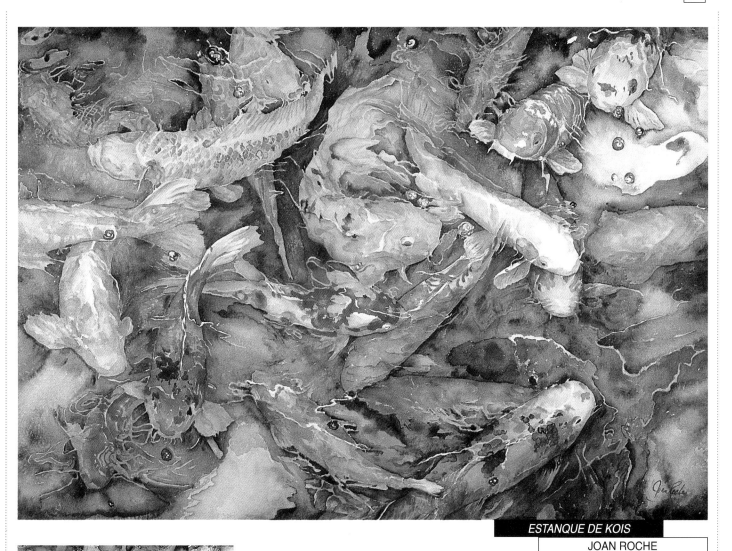

ESTANQUE DE KOIS
JOAN ROCHE

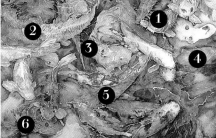

Sistema de trabajo

Como punto de partida la artista hizo fotografías, luego organizó los elementos en una composición que enfatiza el movimiento y el espacio superponiendo y «echando hacia atrás» algunas de las formas para crear un trayecto a seguir por la mirada.

1 Primero se hizo el dibujo, y luego se rellenaron con máscara líquida los reflejos de las burbujas, de las ondas del agua y de la superficie de los peces.

2 Después de secarse la máscara líquida, se aplicó sobre todo el papel un naranja cálido obtenido con escarlata cadmio y amarillo de Winsor.

3 En las zonas de sombra de los peces se dio una aguada tenue de azul ultramar con una pizca de escarlata cadmio, siguiendo la forma de las ondas de modo que el color se vuelve más oscuro en las zonas más alejadas (en lo más hondo del agua).

4 El movimiento, la luz y las ondas se crearon con una mezcla de azul ultramar, viridian, azul cobalto y sepia en húmedo sobre húmedo. Después se quitó la máscara líquida, y se resaltaron las áreas más oscuras con transparencias sucesivas, teniendo cuidado de dejar los reflejos de la luz.

5 El mismo método se siguió para los peces, utilizando combinaciones de amarillo de Winsor, naranja cadmio, escarlata cadmio, siena natural y sepia.

6 Trabajando húmedo sobre húmedo, a los nenúfares se les aplicó verde savia, azul ultramar y un poco de siena natural.

Puntos clave del planteamiento

• Para los temas que no pueden pintarse del natural, monta composiciones con material de referencia.
• Para los temas complicados, asegúrate de que el dibujo sea correcto antes de pintar.

PINTAR ATMÓSFERAS

La acuarela tiene muchas cualidades –fluidez, transparencia, delicadeza de color– que la hace ideal para reproducir los efectos de atmósfera y ambiente en los paisajes. Tanto si quieres pintar montañas envueltas en la niebla, una tempestad en el mar o una escena de playa a pleno sol, las acuarelas pueden proporcionarte una rica variedad de efectos atmosféricos.

GRANJA DE CUMBRIAN
ALAN OLIVER

En esta pintura he intentado captar la luz de una mañana de otoño. El sol entra a raudales desde el lado izquierdo del cuadro, proyectándose sobre la fachada posterior de la casa. Las sombras alargadas del primer plano son pálidas y frías, propias del sol bajo de la mañana. Uno de los elementos con fuerza visual en esta composición es la puerta de la cerca. Los intensos oscuros del fondo se han incrementado para que resalte la luz.

Cuando empezamos a pintar por primera vez solemos concentrarnos en las materias básicas de la representación: «cómo pintar los árboles» o «cómo pintar las nubes». Pero según ganas experiencia comienzas a pensar no sólo en los elementos del paisaje, sino también en las calidades lumínicas de la escena. La luz es el componente mágico que puede cambiar una pintura corriente en algo mucho más especial.

A ser posible, trata de pintar paisajes naturales mejor que con fotografías. Incluso si no te da tiempo a terminar una pintura fuera, siempre puedes sacar apuntes para utilizarlos como referencia cuando vuelvas a casa. No hay nada que supla el estar allí, observar en vivo, percibir los sonidos y los olores de tu tema.

Antes de empezar a pintar examina las particularidades de la luz, que varían no sólo por la hora del día, sino también por la estación del año y las condiciones atmosféricas. En un día soleado la luz es clara y cortante, con fuertes contrastes de sombras y brillos y colores intensos. La

El blanco brillante indica la orientación de la fuente de luz.

Las sombras alargadas crean la sensación de un sol bajo, cuando es muy de mañana.

WESTON.

*Los charcos
evidencian un
ambiente húmedo
y abandonado.*

*Las luces brillantes
contrastan con las
densas sombras.*

MAQUINARIA OXIDADA

DAVID WESTON

*Esta es una pintura lo bastante detallada
como para describir el tema con realismo,
pero el cuadro se remite a la atmósfera y a la
nostalgia de tiempos pasados. Una fuerte luz
solar se recorta a través de los agujeros del
tejado, iluminando con su resplandor
algunas partes de la vieja bomba de vapor y
dejando el resto en profundas sombras. Los
charcos de agua en el suelo añaden la
melancólica sensación de abandono y
deterioro.*

bruma y la humedad desvanecen el paisaje y reducen los contrastes de color y
los valores tonales. Una escena captada
muy de mañana suele estar bañada por
una claridad fría, suave y rosácea, y el sol
naciente alarga las sombras en el paisaje.
A media tarde y al crepúsculo de nuevo
se alargan las sombras, pero la luz es mucho más cálida. De modo parecido, hay
gran diferencia entre la luz fría y sutil de
la primavera y la cruda y caliente del verano.

El color por sí mismo puede expresar
el aspecto o la hora del día que quieras
concretar. Eligiendo una gama limitada de
colores puedes dar a tus pinturas una acusada sensación atmosférica. Por ejemplo,

azules, violetas y grises fríos pueden acentuar la tensión dramática de un día de tormenta o de una fría noche de invierno. Los
rojos y amarillos cálidos evocarán el calor y el sol, o la calma apacible del atardecer.

Piensa también en cómo utilizar las técnicas de la acuarela para plasmar las condiciones atmosféricas. El ejemplo más obvio
es el empleo de aguadas sobre húmedo para
sugerir las nubes, la lluvia y la bruma. También puedes hacerlo aligerando el color con
una esponja o un trapo suaves para crear
efectos difuminados. Por el contrario, el
efecto de la luz del sol se suele captar con
trazos enérgicos y recortados aplicando húmedo sobre seco.

DRAMATISMO CON TONOS OSCUROS

Es tentador pintar únicamente días soleados, pero vale la pena tener presente que un día gris de invierno puede tener un gran potencial pictórico. Lo cual se demuestra sobradamente en esta escena de playa, en la que los elementos del primer plano se perfilan nítidos contra el cielo borrascoso. Es este duro contraste de la oscuridad con la luz lo que da impacto a la pintura.

El artista empezó haciendo un dibujo preliminar, concentrándose sobre todo en la barca, el tractor y el rompeolas. Conociendo primero las formas y detalles de estos elementos, pudo pintarlos con mayor seguridad.

Materiales

Una hoja de papel para acuarela prensado en frío de 410 g/m² • Un lápiz • Acuarelas: azul ultramar, un tinte neutro, amarillo ocre, siena natural, malva permanente, azul Prusia, rojo cadmio, rosa permanente, siena tostado • Pinceles: números 24, 14 y 4 redondos

Dibujo tonal

Pintar el cielo

Dibuja ligeramente las líneas principales de la composición. Obtén un gris azulado para el cielo (*véase* abajo). Humedece la parte del cielo con agua limpia, luego carga un pincel del número 24 con bastante color y extiéndelo a grandes trazos sobre el papel mojado. Las aguadas se fundirán suavemente por toda la superficie para dar un efecto difuminado de bruma y de lluvia. Deja el color más desvanecido hacia la derecha del cuadro para insinuar la luz del sol a través de las nubes.

Fase uno
azul ultramar
+ tinte neutro
+ amarillo ocre

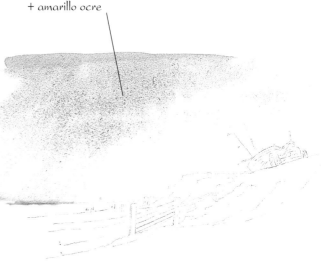

El fondo

Una vez dada la atmósfera a la escena con el cielo, continúa trabajando hacia el primer plano. Primero rellena los declives y la playa distantes con un amarillo grisáceo (*véase* abajo), y luego usa la punta del pincel para determinar el mar al fondo.

El punto focal

La barca y el dique de madera, que forman el punto focal del cuadro, están situados en el plano medio. Pinta la empalizada con un gris cálido, dejando las luces de las estacas sin tocar (*véase* abajo). Luego pasa el pincel sobre el casco de la barca y el remolque con azules y grises.

Fase dos

azul ultramar
+ un poco de tinte neutro

siena natural
+ malva permanente

Fase tres

tinte neutro
+ azul ultramar
+ amarillo ocre

azul de Prusia
+ siena natural

tinte neutro
+ azul ultramar

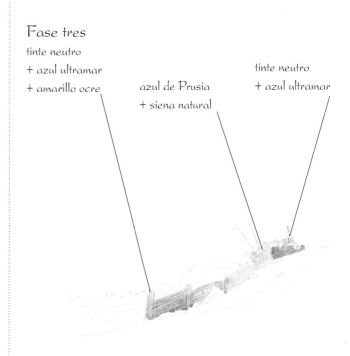

El primer plano

Ahora puedes seguir con el primer plano. Pinta la arena con vigorosos trazos de color, cargando el pincel con una buena cantidad de pintura. Este tono amarillo formará la base para aguadas sucesivas. Los elementos básicos de la escena ya están establecidos.

Fase cuatro
siena natural

Acentúa los tonos

Ahora cambia a un pincel del número 14 e intensifica los tonos del acantilado que está a media distancia empleando los colores que se indican abajo. Observa que la parte cercana de la escarpadura es más oscura que las otras, así se crea la apariencia de dimensión espacial. Oscurece los valores de la arena y de la media distancia. Utiliza un pincel medio seco para quitar algo del color húmedo y para sugerir reflejos en la arena mojada.

Fase cinco
amarillo ocre
+ tinte neutro
+ azul ultramar

siena natural
+ azul ultramar
+ tinte neutro

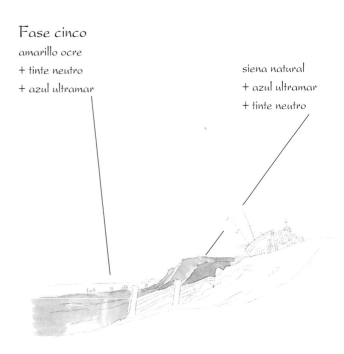

Trabaja en el primer plano

Mezcla varios colores tierra (*véase* abajo) para destacar el primer plano y darle perspectiva. Utiliza la técnica de húmedo sobre húmedo, dejando que los colores se fundan unos con otros para configurar los altibajos de las dunas en la arena. Da también una pequeña pincelada de color tierra en el mar del fondo; esto suaviza el azul y le da más lejanía, aumentando la sensación de espacio.

Fase seis
siena natural

tinte neutro
+ siena natural
+ siena tostado

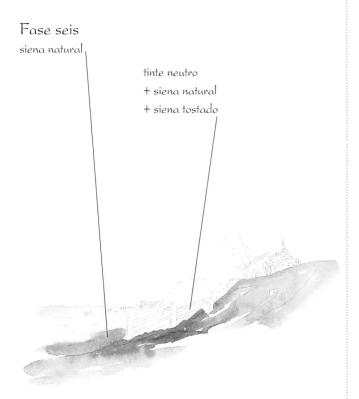

Añade más oscuros

Obtén un marrón rico y oscuro para la empalizada, dejando pequeños trozos de la aguada anterior al descubierto. Continúa aplicando la mezcla marrón a la parte de arriba del terraplén del primer plano. Esta zona oscura forma un contraste de impacto con el resto de los valores más claros del cuadro. Mezcla un gris cálido y aplícalo sobre la arena del primer plano inmediato.

Fase siete
siena natural
+ tinte neutro
+ azul ultramar

azul ultramar
+ amarillo ocre
+ tinte neutro

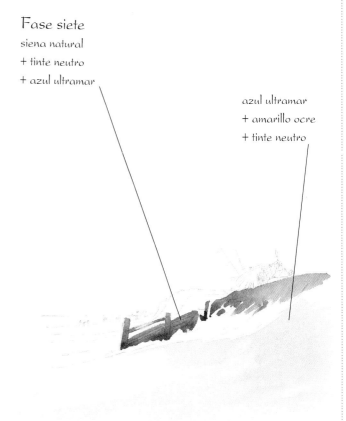

Añade los detalles delicados

Mezcla un azul fuerte y úsalo para perfilar la forma redondeada del casco de la barca. Emplea el mismo marrón oscuro del paso anterior para añadir detalles lineales del dique y pintar el mástil y los aparejos del bote.

Da los últimos toques al primer plano

Añade un toque de rojo claro en el frente del tractor. El rojo es un color poderoso y debe utilizarse con prudencia, lo justo para resaltar el punto focal del cuadro. Con un pincel del número 14 extiende una última aguada ligera sobre la arena del primer plano y déjala secar. Luego intensifica el tono levemente y salpica con cuidado la zona para sugerir las piedras y las chinas. Puedes hacerlo con el pincel o con un cepillo de dientes viejo.

Fase ocho
tinte neutro
+ amarillo ocre

azul ultramar
+ malva
permanente

Fase nueve
amarillo ocre
+ rosa permanente

rojo cadmio

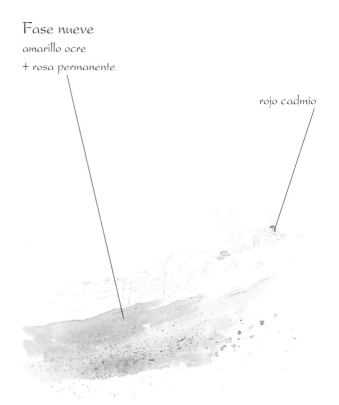

Fase diez

siena natural
+ tinte neutro

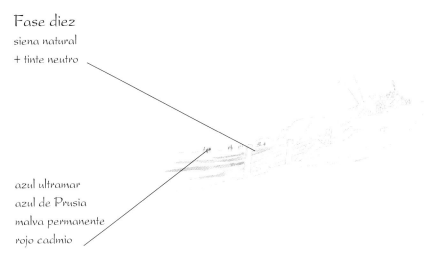

azul ultramar
azul de Prusia
malva permanente
rojo cadmio

PLAYA EN INVIERNO
DAVID WESTON

Para dar a la pintura una escala de planos y algo de interés al color, disemina unas cuantas figuras estilizadas en la lejanía utilizando un pincel del número 4, con toques de distintos azules y rojos. Añade sus reflejos, muy tenues, en la arena mojada. Para terminar, insinúa algunas ondas de agua en la arena. Ahora tu cuadro está acabado.

AGUADAS LUMINOSAS

En esta pintura he tratado de captar el efecto de la luz por la mañana temprano en una de las ciudades con más atmósfera, Venecia. Empecé por empapar el papel y luego aplicar aguadas alternativas de rosa y amarillo con tenues pasadas para recrear la tibieza del sol naciente extendiéndose por el plano. Trabajé húmedo sobre húmedo de manera que los colores pudieran integrarse suavemente unos con otros, y secarse con ese aspecto difuminado y etéreo que evoca la nebulosa luz del amanecer.

Luego utilicé la técnica de las capas tonales, empezando en el fondo con valores muy claros y trabajando gradualmente los más intensos y los detalles del primer plano. En esa hora del día hay una quietud y un silencio que intenté expresar reduciendo la composición al esquema y los detalles al mínimo.

Materiales

Una hoja de papel para acuarela prensada en frío de 410 g/m² • Acuarelas: azul ultramar, azul celeste, azul de Prusia, rosa permanente, siena natural, rojo cadmio • Pinceles: números 6 y 16 redondos, tipo brocha

Dibujo tonal

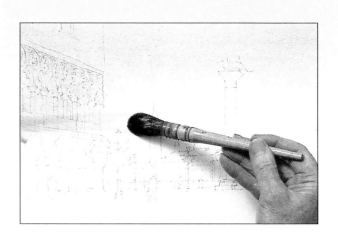

Aguadas alternativas

Haz un sucinto dibujo de la escena a lápiz. Prepara una generosa aguada de rosa pálido y otra de amarillo claro. Pasa sobre el papel entero un pincel grueso mojado en agua y deja que se humedezca ligeramente. Empapa el pincel con pintura rosa y da un par de pinceladas amplias en sentido horizontal a lo largo de la parte de arriba. Lava el pincel, cárgalo con pintura amarilla y repite el proceso. Acaba con una pincelada ancha en la parte inferior. Déjalo secar.

Fase uno
rosa permanente

siena natural

rosa permanente

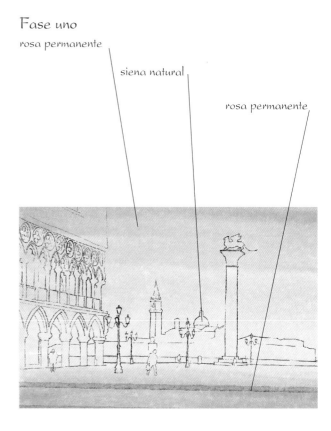

Trabaja los edificios

Mezcla un poco de rosa y amarillo para obtener un naranja claro y aplícalo en los edificios del fondo con la punta de un pincel del número 16. Pon un poco de azul pálido en la torre y en la cúpula. Deja que seque.

Añade más detalles

Cambia al pincel número 6 y define los tejados y el lado en sombra de la torre con una pincelada de rosa frío. Varía las cantidades de azul y rosa en las aguadas según vas avanzando, para crear sutiles gradaciones de color. Pinta la franja de agua con un azul muy leve. Aclara el azul con agua y empléalo para pintar las filas de estrechas ventanas y para sugerir más sombras en las paredes.

Fase dos
siena natural
+ rosa permanente

rosa permanente
+ azul cielo

azul celeste

Fase tres
rosa permanente
+ azul celeste

rosa permanente

azul celeste

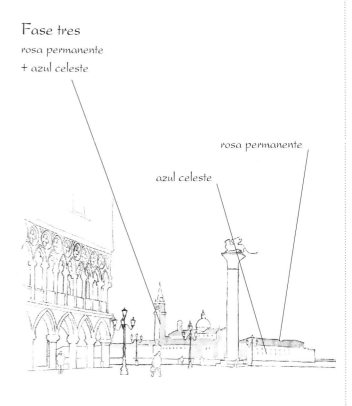

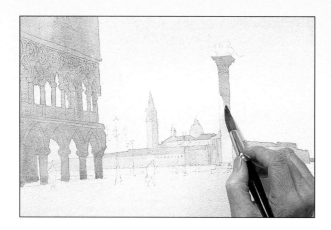

Trabaja el primer plano

Prepara por separado tres aguadas de rosa, amarillo y azul. Tienen que ser ligeramente más fuertes que las anteriores, ya que ahora estás trabajando en el primer plano. Con un pincel del número 16 aplica los colores al azar por el edificio de la izquierda y déjalos mezclarse con la técnica húmedo sobre húmedo. Pinta la columna con una mezcla de rosa y amarillo, dejándola ligeramente más clara en su base. Continúa dando estas aguadas sobre toda el área del primer plano.

Fase cuatro
rosa permanente
azul celeste
siena natural

rosa permanente
+ siena natural

Añade reflejos

Después de que se seque el primer plano, utiliza una mezcla muy pálida de azul y rosa para pintar los reflejos de las columnas en el suelo de mármol de la plaza. Pinta cada reflejo con un solo trazo vertical, luego, en la base del trazo cambia el sentido de la pincelada y da unos toques cortos en horizontal para crear la impresión de que la imagen reflejada se rompe y se distorsiona. Emplea la misma mezcla para poner la sombra de la cúpula.

Fase cinco
azul celeste
+ rosa permanente

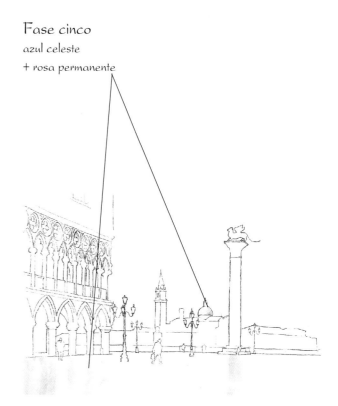

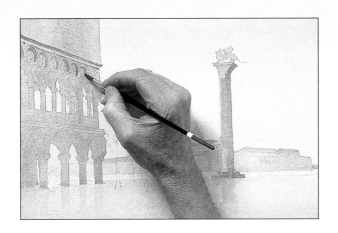

Añade más sombras frías

Mezcla un violeta bastante fuerte con azul y rosa. Usa un pincel del número 6 para pintar los huecos labrados del edificio y las sombras de las columnas. Varía los tonos ajustando las proporciones de rosa y azul y agregando más o menos agua. Pinta la sombra de la gran columna central suavizando el borde interior del trazo para crear la ilusión de redondez. Pinta la sombra del primer plano inmediato con pinceladas sueltas, empleando un pincel del número 16. Cubre la figura que pasa junto a los arcos con un azul frío.

Añade los detalles del fondo

Intensifica el tono azul frío y añade sombras a la figura para darle volumen tridimensional. Ahora usa la aguada azul violeta, también más intensa, para insinuar detalles como las estacas del amarradero a lo largo del borde del agua. Aquí puedes comprobar que es posible utilizar un pincel grande para los trazos finos siempre que tenga una buena punta.

Fase seis
azul ultramar
+ rosa permanente

azul de Prusia

Fase siete
azul de Prusia

azul ultramar
+ rosa permanente

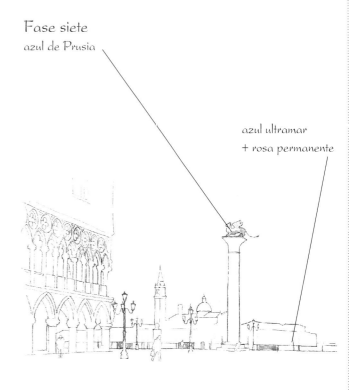

Oscurece las sombras

Las sombras más oscuras en los recovecos del edificio situado en primer término pueden acentuarse ahora con nuevas aguadas de azul violeta. Esta vez haz el color más cálido aumentando el rosa y disminuyendo el azul. En los arcos, gradúa con agua para ir del más oscuro arriba al más claro hacia abajo.

Añade sombras al primer plano

Prepara una aguada fuerte de rojo y azul y da las sombras plenamente oscuras entre los arcos del edificio inmediato. De nuevo, gradúa las aguadas para aclarar el color progresivamente y reproducir el juego de la luz. Añade una última sombra oscura en el borde exterior de la columna.

Fase ocho
rosa permanente
+ azul ultramar

Fase nueve
azul de Prusia
+ rojo cadmio

VENECIA, POR LA MAÑANA TEMPRANO
ALAN OLIVER

Prepara un rojo muy claro y pinta los cristales de las farolas y las caras de las figuras más cercanas. Ahora obtén un gris frío con azul y una pizca de rojo y completa estas figuras y sus reflejos. Usa el mismo color para pintar los pies de las farolas, aclarando el tono en las más alejadas para dar la sensación de profundidad espacial. Por último, añade unos toques de rojo intenso y de azul ultramar en dos de las figuras para incorporar una nota de contraste.

Fase diez
azul de Prusia
+ rojo cadmio

azul ultramar

rojo cadmio

rojo cadmio

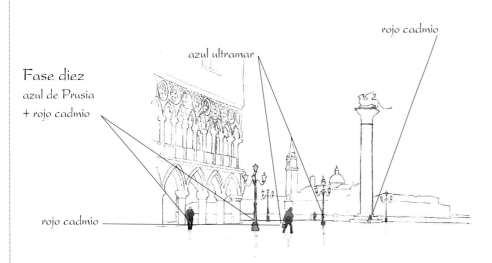

RECREAR AMBIENTES

Estas dos pinturas son excelentes recreaciones de los efectos lumínicos, logrados por un inteligente control de los valores tonales y la ayuda de un sencillo proyecto preparatorio del color. Ambos artistas lo han pensado mucho para crear una impresión determinada en vez de centrarse demasiado en los detalles. Los dos adoptaron la técnica de capas (o veladuras) para elaborar un rico colorido, aunque los procedimientos son diferentes para las formas con más cuerpo de *Solana*, realizada con el método húmedo sobre seco, y las tenues mezclas de *Crepúsculo en Sedona*, lograda mediante la fusión de colores en húmedo sobre húmedo.

CREPÚSCULO EN SEDONA

DONALD HOLDEN

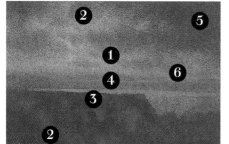

Sistema de trabajo

Trabajando en el emplazamiento, el artista hizo una serie de dibujos rápidos y pequeños que definieran las formas esenciales de la tierra y del mar. De vuelta a su estudio realizó más dibujos para reorganizar y simplificar la composición. Eligió una paleta de colores que se ajustara al tema –azul ultramar, amarillo ocre, rosa permanente y marrón rojizo– y comenzó a pintar directamente sin dibujo a lápiz previo.

1 Se dio una aguada de amarillo ocre por toda la superficie del papel en tono uniforme.

2 Luego se aplicó en la parte alta una aguada graduada de azul ultramar, aclarándola con agua progresivamente hasta cubrir las tres cuartas partes del papel. Después se dio otra aguada de rosa fuerte en la parte de abajo, dejando una banda de amarillo ocre en el centro para crear el espacio del fondo.

3 Empleando una mezcla de rosa fuerte y marrón rojizo, se pintaron los volúmenes de las montañas; mientras estas zonas estaban todavía húmedas, se añadieron las sombras azules de manera que los colores se fundieran unos con otros en húmedo sobre húmedo.

4 El área intermedia del cielo fue humedecida con un vaporizador y, antes de que perdiera su brillo, se pintaron las franjas bajas de las nubes y la tierra del fondo con aguadas de azul ultramar.

5 Para dar calidez y entonación a la pintura se aplicó por todo el papel una aguada de rosa fuerte. Mientras aún estaba húmeda, se empleó un azul ultramar más oscuro para dar forma a las nubes.

6 Una vez seco, se pasó una aguada muy clara de amarillo ocre sobre toda la superficie. Para crear el efecto del resplandor del sol se dieron unos toques de rosa fuerte sobre el papel mojado.

Puntos clave del planteamiento

- Visualiza los tonos de la luz diseminada por todo el escenario, y elige atentamente los colores para pintarlo.
- Estudia con antelación las series de aguadas, y a menos que trabajes húmedo sobre húmedo, asegúrate de que cada una esté completamente seca antes de dar la siguiente.

SOLANA

JUDI BETTS

Sistema de trabajo

La artista se inspiró en el contraste de sombras y luces de esta casa en un caluroso y húmedo día de verano. Acentuó los efectos de la luz eligiendo una paleta de colores cálidos y manteniendo la inflexión sobre las tonalidades altas de la pintura. Los colores más destacados fueron el rosa permanente, aureolín, siena tostado y naranja cadmio; y los colores fríos –verde de Winsor, esmeralda de Winsor, azul manganeso y azul cobalto– fueron utilizados moderadamente.

1 Se dio una aguada muy clara de aureolín sobre las zonas más luminosas.

2 Se aplicó luego una serie de aguadas de tonos medios, dando al menos cinco capas en algunos sitios, con cuidado de evitar las áreas luminosas. Cada color se dejó secar antes de poner el siguiente.

3 Las zonas más oscuras como las sombras de los escalones, bajo la escalera y la terraza fueron añadidas para completar la gama tonal.

4 En algunas partes se pasó la esponja húmeda y se utilizó el borde afilado de un cartón duro para resaltar las formas que lo exigían. Algunos de estos perfiles se pintaron encima con verdes pálidos para representar el follaje.

Puntos clave del planteamiento

• Para evaluar las tonalidades de una imagen obsérvala contrayendo los párpados, eso contribuye a desvanecer los detalles y te muestra las formas más obvias.

• Opta por el formato adecuado para la composición. Aquí el formato horizontal realza el trazado diagonal de la escalera.

PINTAR SOMBRAS

Las sombras son un aspecto de la pintura que se pasa por alto, algo que se asume al final sin pensarlo demasiado. Sin embargo, son una parte fundamental de cualquier pintura, sea cual sea el tema. No sólo ayudan a definir las formas de los objetos, sino que también indican la dirección de la luz e incluso pueden dar vida a una composición.

IZQUIERDA. **Las sombras proyectadas por el sol en las primeras horas de la mañana.**

IZQUIERDA. **A mediodía, con el sol dando en vertical, los colores palidecen y las sombras se atenúan. Sin duda, no es el mejor momento para pintar un paisaje.**

DERECHA. **Como sucede por la mañana temprano, al atardecer y en el ocaso, el sol proyecta largas sombras de gran plasticidad sobre el paisaje.**

Las sombras y claroscuros aparecerán implícitamente en todos los temas que pintes; incluso en un día gris el cielo proporciona luz, por lo tanto habrá sombras y claroscuros en el paisaje aunque muy pálidos y difusos. Mira cualquier objeto de tu habitación y notarás que tiene un lado claro y otro oscuro, debido a la luz que se proyecta a través de la ventana o de una lámpara que esté cerca. Habrá también un claroscuro en la superficie inferior.

Esas sombras ayudan a definir las formas y las texturas de los objetos en los que se instalan.

Hay más sombras de las que se ven a primera vista y esto constituye una interesante materia de estudio. Por ejemplo, si miras con atención verás que las sombras no son grises o negras, sino que contienen sutiles matices de color recogidos de su alrededor o por las propias superficies donde se instalan. Observa cómo las sombras están siempre matizadas por el color de lo que está expuesto a la luz brillante y cálida. En un luminoso día de sol puedes notar que adquieren un tinte azulado o casi violeta. La razón es que hay una gran cantidad de rayos ultravioleta reflejados en las sombras. Como la luz es tan intensa «rebota» de una superficie a otra. Si miras la sombra de una pared advertirás que es más clara en el lado opuesto de la luz porque ésta rebota desde el fondo sobre ella. Observando y tomando nota de estos efectos sutiles darás a tus pinturas viveza y luminosidad.

Las sombras son valiosas para determinar la hora del día y las condiciones

SILLA DE JARDÍN
ALAN OLIVER

UNA VEREDA DE CAMPO
ALAN OLIVER

En estas dos pinturas he recurrido a los claroscuros para indicar la fuente de luz y trazar los contornos del paisaje. En Silla de jardín la luz y la sombra dan redondez a los troncos de los árboles, y el ángulo bajo del sol se sugiere en las sombras sobre la silla. Sin las sombras, no daría la sensación de luz solar y gran parte de la atmósfera se perdería.

En Una vereda de campo las sombras de nuevo señalan la dirección de la luz y sugieren la hora del día. Sus siluetas alargadas acentúan los contornos del terreno e impulsan que la mirada se pasee por todo el cuadro.

En ambas pinturas las aguadas de sombra consisten en una mezcla ligera y transparente de azul ultramar oscuro y carmín. Estas aguadas se añadieron en la última etapa, cuando la pintura estaba completamente seca. Siempre que esta capa sea lo suficientemente delgada, dejará ver los colores que están debajo y el resultado será etéreo y luminoso. Las capas anteriores de color no se dañarán si aplicas la de sombra rápidamente, de una sola pasada, utilizando un pincel grande y suave.

ambientales, además pueden aportar mucho en el carácter y la atmósfera de tus pinturas. Por la mañana temprano y al atardecer son los mejores momentos para pintar, porque a esas horas el sol produce sombras alargadas llenas de interesante colorido. Antes de que empieces a pintar, establece siempre la dirección de la fuente de luz y señala las zonas de sombra en tu papel desde el principio. De este modo, según avanza el día y el sol cambia de posición, no acabarás con

un lío de sombras ¡proyectadas en distintas direcciones!

Otro punto a tener en cuenta es que las sombras pueden contribuir a la composición de la pintura vinculando una zona con otra. Mira el contraste de los elementos luminosos sobre un fondo más oscuro y de los elementos oscuros sobre un fondo más claro.

La acuarela es un medio estupendo para pintar sombras porque los colores son transparentes. Esto significa que puedes

dar aguadas de sombras frías sobre colores cálidos aplicados antes, lo cual deja traslucir algo de esa claridad a través de la capa más oscura. El resultado es una sombra luminosa que parece vibrar con la luz. No obstante, debes aplicar las aguadas de las sombras ligeras y rápidas, así no dañarás la capa anterior.

CONTRASTES DE CÁLIDOS Y FRÍOS

Para pintar cuadros llenos de sol debes tener en cuenta la importancia de las sombras, porque es el contraste entre los colores oscuros y fríos, y los tintes cálidos y luminosos el que crea el brillo.

Cuando hagas un paisaje con sol recuerda que tanto las zonas cálidas como las sombras oscuras y frías deben dominar. Si se difuminan unas con otras el efecto deslumbrante del sol se pierde. En esta vista de un viejo pueblo francés, por ejemplo, predominan los tonos medios y los oscuros, no obstante, la impresión global es una tarde soleada, pues las áreas de luz resaltan con la oscuridad de las zonas sombreadas.

Materiales

Una hoja de papel para acuarela prensada en frío de 410 g/m² • Un lápiz • Acuarelas: malva permanente, azul ultramar, rojo claro, siena natural, amarillo gamboge, siena tostado, azul cobalto, rosa permanente, amarillo indio, azul celeste, rojo cadmio • Pinceles: uno plano de 25 mm y dos redondos de los números 14 y 2

Dibujo tonal

La tintada del fondo

Esboza los elementos esenciales de la escena, comprobando que la perspectiva de las ventanas y puertas es correcta. Pon en tu paleta un montón de amarillo cálido y otro de azul frío (*véase* abajo) y dilúyelos por separado con una buena cantidad de agua. Usa un pincel plano de 25 mm para aplicar el amarillo sobre las partes donde da el sol, y los azules sobre las áreas de sombra. Deja secar esta tintada de base.

Fase uno
malva permanente
+ azul ultramar
+ rojo claro
siena natural
amarillo gamboge
siena tostado

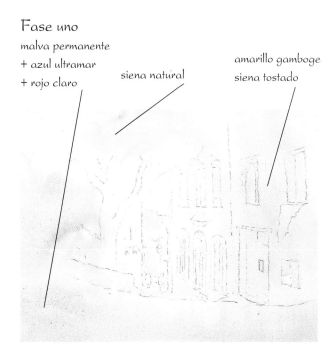

Los valores más claros

Cambia a un pincel redondo del número 14 y empieza a definir los colores más luminosos y los valores tonales. Sugiere la estrecha perspectiva del fondo entre los edificios con una aguada azul violáceo. Luego prepara otra de amarillo claro y cálido para las zonas de las ramas iluminadas por el sol en el primer plano y en el fondo.

Destaca texturas

Pinta las paredes de los viejos edificios con pinceladas dispersas de amarillo intenso y naranja, manteniendo aún los colores pálidos y diluidos. Para sugerir la textura de los desconchones del yeso en las paredes, aplica la primera aguada y déjala secar antes de dar la siguiente con toques sueltos. Podrás comprobar cómo la segunda se seca con los bordes muy marcados, ofreciendo un efecto de textura muy interesante. Ahora pinta el muro bajo del primer plano con una aguada de gris cálido.

Fase dos
amarillo gamboge

amarillo gamboge
+ rosa permanente
+ azul cobalto
+ azul ultramar

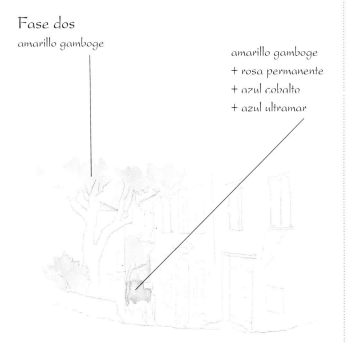

Fase tres
azul ultramar
+ rojo claro

amarillo indio
+ siena tostado

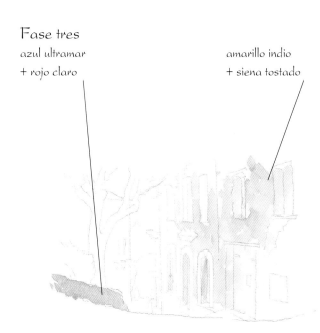

Establece los tonos medios

Con la mayor parte de las tonalidades claras ya en su sitio, es el momento de pensar en los medios tonos. El dibujo previo a lápiz indica que son los verdes intensos de las ramas de los árboles; y las puertas y ventanas en sombra de la derecha, los que se pintan en color tierra tostado.

Añade los colores fríos

Intensifica un poco más las partes en sombra de las hojas y las ramas dando otra aguada de verde frío. Luego pinta los postigos de las ventanas de la derecha empleando la punta muy afilada de un pincel redondo del número 14. Deja secar la pintura.

Fase cuatro
azul ultramar
+ amarillo indio   *siena tostado*

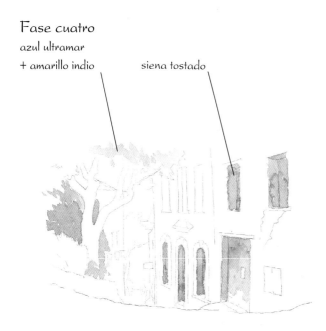

Fase cinco
azul ultramar
+ amarillo indio   *azul celeste*

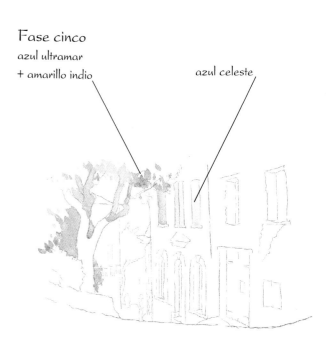

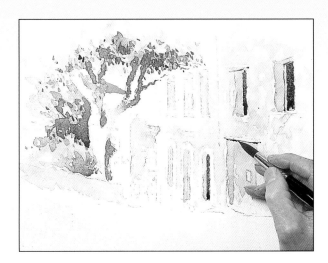

Matiza tonalidades

Añade una tercera aguada de verde oscuro frío a los árboles para intensificar las sombras un poco más. Varía los tonos añadiendo más o menos agua al color básico. Ahora prepara otra mezcla de naranja rojizo y utiliza el pincel redondo del número 14 para pintar el tejado de arcilla que se ve al fondo.

Añade algunas sombras

Ahora que los medios tonos ya están aplicados, es cuando deben darse unos toques más oscuros para realzar los matices. El boceto previo a lápiz muestra tonos oscuros en algunas de las ventanas y puertas abiertas; píntalos con un pincel redondo del número 14 y un marrón oscuro y frío empleando los colores que se indican abajo.

Fase seis
amarillo indio
+ azul ultramar

rojo cadmio
+ amarillo gamboge

Fase siete
azul ultramar
+ siena tostado

Empieza con los detalles

Integrados ya los campos generales de color, puedes empezar con los detalles más pequeños de la arquitectura. Utiliza los colores especificados abajo con un pincel redondo del número 2. Añadir detalles debe hacerse siempre al final y reducidos al mínimo, de lo contrario te quedará una pintura relamida y recargada. Para lograr trazos intensos y oscuros escurre bien el agua del pincel antes de aplicar los colores.

Completa los detalles

Prepara un verde grisáceo oscuro para dar el acabado a las sombras de los árboles. Luego utiliza marrones y marrones grisáceos para sugerir las grietas del muro que está bajo los árboles y en la casa de la derecha. Da unos toques de acabado que refuercen los tonos en sombra de la puerta y de las ventanas abiertas. Completa los detalles añadiendo unas pinceladas de color a las figuras del fondo. Deja secar la pintura.

Fase ocho
siena tostado
+ azul ultramar
+ rojo cadmio

azul ultramar
+ rosa permanente

Fase nueve
azul ultramar
+ amarillo indio

azul ultramar
+ rosa permanente
+ siena tostado
+ amarillo gamboge

siena tostado
+ rojo claro
+ azul ultramar

VISTA DE UNA CALLE FRANCESA
ALAN OLIVER

El toque final consiste en aplicar los claroscuros que se proyectan sobre la calle y las paredes del edificio. Mezcla los colores indicados a la izquierda para crear un azul violáceo frío. Dilúyelo con bastante agua y da unos brochazos ligeros y rápidos de color transparente con un pincel redondo del número 14; cualquier retoque de más puede estropear los colores de debajo. Añadir estas sombras produce un efecto mágico; la escena repentinamente adquiere vida.

Fase diez
azul ultramar
+ rosa permanente

UNA PALETA LIMITADA

Lo que inspiró al artista para pintar este viejo granero en ruinas fue el marcado contraste de luz y sombra creado por la fuerte claridad que inunda el espacio cerrado y lóbrego a través de las ventanas y de los tragaluces. La composición y los valores tonales se trataron en un dibujo preparatorio muy trabajado que ayudó al artista a familiarizarse con un tema sutil y complejo. Sin embargo, en la pintura definitiva el interior fue simplificado a fin de concentrarse en el tema fundamental de luz y sombra.

Materiales

Una hoja de papel para acuarela prensada en frío de 410 g/m² • Un lápiz • Acuarelas: rojo claro, amarillo ocre, sepia, azul de Prusia, siena natural, rojo tierra • Pinceles: redondos de los números 20 y 4

La tintada de fondo

Una vez esbozada ligeramente la composición, utiliza tu dibujo anterior como referencia. Empapa un pincel del número 20 en una aguada de amarillo cálido (*véase* abajo) y extiéndela por todo el papel excepto los tragaluces y la puerta abierta. Lava el pincel y escúrrelo con los dedos, luego pásalo para aclarar el color en algunas zonas a fin de resaltar la luz reflejada en la pared por las ventanas del tejado.

Fase uno
rojo claro
+ amarillo ocre

Dibujo tonal

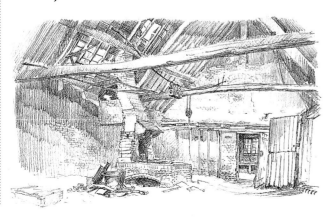

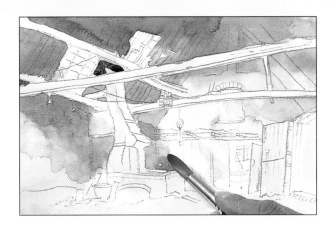

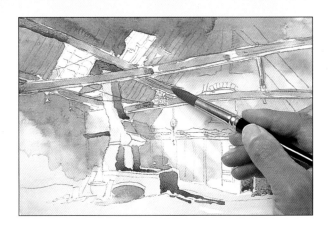

Pinta las sombras

Utiliza una aguada de gris cálido para oscurecer el techo y la pared de la izquierda del granero, trabajando alrededor de las zonas iluminadas, la chimenea y las vigas de madera del techo. Varía la intensidad del color para producir el efecto de la reverberación de la luz. Deja secar la pintura.

Composición de los colores

Trabaja por toda la superficie, empleándote en el conjunto de la imagen mejor que concentrarte en un sólo lugar cada vez. Esto dará a tu pintura unidad y armonía. Obtén un marrón rojizo y utilízalo para pintar las sombras en el ladrillo de la fragua y de la chimenea. Luego prepara un verde agrisado y pásalo sobre las puertas, las vigas y las partes del fondo de la pared.

Fase dos
sepia
+ azul de Prusia

Fase tres
rojo claro
+ sepia

azul de Prusia
+ siena natural

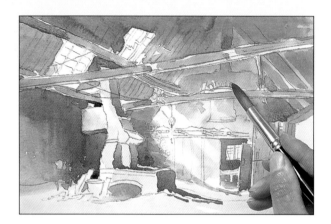

Intensifica las sombras

Oscurece las paredes del fondo con más aguadas de rojo arcilloso y marrón, empleando los colores indicados abajo. Empieza sugiriendo la construcción de ladrillo de la chimenea. Añade más gris a la mezcla para intensificar las sombras y la zona oscura que se ve a través de la puerta abierta del interior a la derecha. Esta pequeña zona de tono muy oscuro es esencial para equilibrar toda la pintura. Deja que se sequen las aguadas.

Completa los oscuros

Lava el pincel y pásalo por un trapo limpio para quitar el exceso de agua antes de empaparlo en una aguada un poco más fuerte de gris para dar el toque final que enriquezca las sombras. Son estos valores tonales muy oscuros los que realzan los contrastes haciendo que la luz parezca más brillante.

Fase cuatro
sepia
+ rojo tierra

Fase cinco
sepia

rojo permanente

azul de Prusia

Fase seis

amarillo ocre

sepia

LA VIEJA FRAGUA
DAVID WESTON

Se da una pasada amplia de amarillo claro sobre el primer plano, luego aplica encima una aguada de gris en húmedo sobre húmedo. Usa los mismos colores para añadir los toques finales a los detalles y al color del interior, más un toque de azul pálido al hueco exterior de la puerta de la derecha. Por último, con un pincel del número 4 pinta de rojo claro la lámpara y el gancho que cuelga de las vigas.

CÓMO DAR SOMBRAS

En estos dos cuadros las sombras muy acusadas son fundamentales para resaltar el brillo de la luz, pero en *Flores de cerezo con patos* la sombra juega un papel primordial en la composición. Es un elemento con mucha fuerza en el conjunto, su forma une a todos los objetos, y su color oscuro y frío contrasta con el rosa vivo de las flores. El tono intenso y la luminosidad del color se han acentuado un poco más para reforzar los contrastes complementarios que hacen fulgurar a la pintura.

FLORES DE CEREZO CON PATOS
WILLIAM WRIGHT

Sistema de trabajo

El artista preparó detenidamente una composición con mucha luz y luego fotografió el conjunto. De la fotografía sacó un dibujo a lápiz que luego llevó al papel de acuarela utilizando una cuadrícula. Los colores empleados fueron azul celeste, bermellón, siena natural, siena tostado, azul ultramar y amarillo cadmio.

1 Se usó una mezcla ligera de azul celeste y bermellón para hacer una aguada de gris que se aplicó sobre la zona del mantel, pintando alrededor de los objetos.

2 Para la base de las flores se dio una aguada de rosa pálido, trabajando húmedo sobre húmedo y manteniendo los tonos luminosos.

3 Alrededor de las flores se pintó con una aguada de azul celeste, y mientras el azul estaba húmedo se dieron unas manchas de verde fuerte para hacer un fondo oscuro.

4 Con el gris del mantel ya seco, la forma de la sombra se pintó con una mezcla de azul celeste y azul ultramar.

5 En las etapas finales se emplearon pigmentos concentrados para dar intensidad a los colores de los objetos y armonizarlos. El pico dorado de los patos se pintó con amarillo de cadmio oscuro, bermellón y siena natural, colores que se repitieron en los zapatos, el anillo y en los reflejos de la plata y el cristal.

Puntos clave del planteamiento

- Elige un conjunto de objetos interesantes para componer un tema de naturaleza muerta.
- Utiliza el visor con el fin de encuadrar bien la composición.
- Coloca una fuente de luz intensa para producir sombras muy marcadas.
- Emplea las sombras como parte de la composición, y observa atentamente sus formas.

PUEBLO FRANCÉS
ALAN OLIVER

Sistema de trabajo

La fuerte luz producida por el contraste oscuro de las sombras es lo que ha inspirado esta pintura, basada en parte en una fotografía. Aunque el estilo pictórico es muy suelto tiene los detalles suficientes como para añadir interés y realismo. Se hizo a lápiz un boceto tonal para plantear el cuadro y una paleta restringida de sólo tres colores, azul de Winsor, carmín y amarillo indio.

1 Después de haber dibujado las sombras más destacadas con un lápiz blando, se utilizó un pincel grande y plano para establecer los tonos medios y dar una aguada con azul de Winsor y carmín.

2 Para las zonas de azul intenso del cielo se empleó el azul de Winsor y un pincel redondo del número 16. Esto produce de inmediato un fuerte contraste de tonos que hace destacar la luz.

3 Luego se añadieron todos los verdes, utilizando mezclas de azul de Winsor, amarillo indio y un poco de carmín para crear un tono medio de verde en las parras del edificio central.

4 Se mezclaron amarillo indio y carmín para pintar la puerta y las ventanas, y para añadir algo de color al cuadro en general.

5 Las sombras más oscuras y los detalles se añadieron con una mezcla de azul de Winsor y carmín.

6 Finalmente, se empleó un pincel rígido para dar textura al primer plano, y con un cuchillo se sacaron algunas luces pequeñas.

Puntos clave del planteamiento

- Para dar unidad, elige una gama limitada de colores.
- No te importe utilizar mezclas oscuras muy ricas de color; esto hará que las zonas luminosas aparezcan mucho más brillantes.
- Prueba a utilizar un gran pincel plano para las primeras etapas de la pintura.

PINTAR CON MODELO

Cuando te planteas un cuadro es importante crear un dibujo bien organizado que capte el interés de quien lo mire. El modo de conseguirlo es introducir formas, objetos y colores recurrentes en tu composición. Los elementos que se multiplican y se corresponden unos con otros ayudan a unificar la pintura, creando a la vez ritmos dinámicos que atraen la mirada.

Hay muchas cosas en la naturaleza que ofrecen formas y patrones para utilizarlos y crear sugestivos temas de pintura. Mira la sutil variedad de ritmos y cánones formado por las flores y las hojas, las nubes, las olas, los árboles, los campos y montañas, y cómo se desdoblan a menudo por sus propias sombras o reflejos. Por el contrario, las construcciones hechas por el hombre tienen formas más simétricas, más calculadas, como son las ventanas, las puertas, los tejados, los postes de los cercados, los muros de piedra y todo lo demás. Los temas de naturaleza muerta se prestan especialmente bien para la búsqueda de modelos. Elementos de forma similar, como las frutas y vegetales, o jarras y cuencos pueden agruparse para formar un modelo conjugado. Los diseños decorativos de telas, mantas o porcelana pueden incorporarse al conjunto. Recuerda que los colores y las tonalidades también pueden repetirse y contrastar, de manera que formen imágenes agradables que inviten a la mirada a recorrer todo el cuadro.

Hay muchas maneras de utilizar modelos para tus composiciones, pero procura no hacerlos demasiado uniformes y monótonos. Un ritmo fluido de formas similares, no demasiado iguales, cada una algo diferente a la otra y sin que guarden excesiva simetría en el espacio, darán atractivo al diseño. Si te interesan los modelos, recuerda dos aspectos importantes de la composición: equilibrio y contraste. Procura incluir zonas sólidas y neutras en tu cuadro para compensar el movimiento y la exuberancia de los objetos que forman el modelo.

IZQUIERDA. **El efecto parcheado de los campos extendiéndose en la distancia tiene un atractivo universal.**

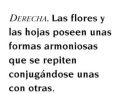

DERECHA. **Las flores y las hojas poseen unas formas armoniosas que se repiten conjugándose unas con otras.**

IZQUIERDA. **Los modelos de luz y sombra pueden ser sugestivos por sí mismos. Piensa en las sombras moteadas que proyectan los árboles sobre el suelo del bosque, o en las sombras de las nubes aborregadas que se ciernen sobre las colinas.**

MANOJO DE PINCELES
SANDRA A. BEEBE

Este cuadro es un bonito ejemplo del empleo de un modelo armonizado. Se ha utilizado el color para atraer el interés contrastando los azules fríos con los cálidos rojos. Pequeñas áreas de la misma combinación se repiten por todas partes, compensadas por grises y marrones neutros. También se ha incorporado el blanco y el negro para producir una gama completa de valores tonales.

Las telas rayadas se han colocado con perspicacia en sentido horizontal de modo que contrasten con las formas verticales de los pinceles en el cubilete. Se ha dispuesto una zona de luz intensa para producir perfiles muy marcados y también la sombra suficiente como para sugerir la profundidad espacial detrás de los pinceles. El planteamiento aquí está muy pensado y hasta el más pequeño ángulo ha sido minuciosamente dibujado antes de que las aguadas fueran aplicadas con precisión. El tema del modelo fue muy madurado antes por la artista; quiso deliberadamente buscar un efecto gráfico de formas planas de color, en vez de una graduación naturalista de colores y matices.

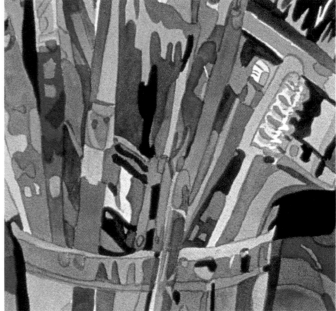

ARRIBA. **Este fragmento ampliado muestra la riqueza del modelo, con pequeñas y complejas manchas de color cuidadosamente pensadas para lograr el contraste, el equilibrio y la composición.**

USAR COLORES INTENSOS

En esta deliciosa naturaleza muerta el paño a cuadros no es sólo un «fondo» sino un factor importante para proporcionar contraste y armonía. El modelo geométrico contrasta con las formas orgánicas de las flores y también crea una armonía de color jugando con la riqueza de los rojos. Un modelo tan subido de color podría resultar agobiante, pero la zona de papel en blanco sirve de descanso para los ojos.

Materiales

Una hoja de papel para acuarela prensada en frío de 410 g/m² • Acuarelas: rojo cadmio oscuro, azul cobalto, negro marfil, verde de Hooker, verde cobalto, amarillo cadmio, siena tostado, carmín • Pincel: uno redondo

Dibujo tonal

Elige los rojos

Dibuja ligeramente a lápiz las líneas primordiales de la composición. Utiliza un pincel redondo del número 4 empezando por pintar los geranios y las rayas rojas del paño. Trata de entonar correctamente los valores tonales para que el color al secarse quede más claro de lo que parece cuando está mojado.

Fase uno
rojo cadmio
oscuro

Los tonos de sombra

Prepara una aguada de tono medio con gris azulado y dilúyela hasta lograr un tinte pálido. Úsala para pintar el lado de sombra de la jarra. Procura variar la tonalidad en vez de dejarla homogénea, pues esto hará que la sombra parezca «empastada».

Pinta las hojas

Haz una mezcla de verdes jugosos y brillantes empleando los colores señalados abajo y pinta las hojas del geranio. Puedes aclarar el color aquí y allá utilizando un pincel exprimido o un pañuelo de papel estrujado para variar los tonos y sugerir el juego de la luz sobre las hojas. Emplea la punta de un pincel para marcar el perfil de las hojas sobre la jarra.

Fase dos
azul cobalto
+ negro marfil

Fase tres
verde cobalto
+ verde de Hooker

Sigue con el paño

Mezcla el rojo y el amarillo indicados abajo para sacar un naranja y pinta con cuidado las franjas de la tela. De nuevo deja que el color se extienda por sí mismo para crear cambios matizados, así parecerá más natural que los planos uniformes de color. Utiliza el mismo tono para el motivo de flores de la boca de la jarra.

Continúa con la jarra

Cuando las aguadas naranjas se hayan secado, prepara un azul intenso y oscuro para rellenar los dibujos decorativos de la jarra.

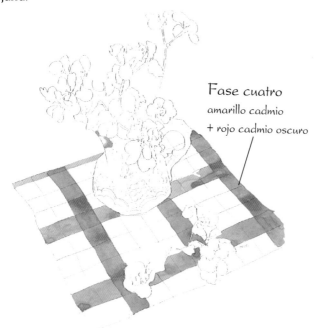

Fase cuatro
amarillo cadmio
+ rojo cadmio oscuro

Fase cinco
azul cobalto
+ azul de Winsor
+ negro marfil

Integra los tonos de sombra

Obtén una mezcla de verde oscuro y úsalo para pintar las zonas sombreadas de las hojas y los tallos de los geranios. Añade más azul a la mezcla para las sombras más profundas. Luego perfila el borde del asa de la jarra empleando la mezcla del verde oscuro utilizada en las hojas.

Termina la jarra

Mientras se secan las aguadas anteriores combina los colores reseñados abajo para conseguir un cálido marrón rojizo. Completa la jarra pintando con cuidado las partes marrones del dibujo de la jarra.

Fase seis
azul cobalto
+ verde de Hooker

Fase siete
siena tostado
+ carmín
+ rojo cadmio oscuro

Termina el paño

Prepara una aguada transparente de azul turquesa y pinta las franjas y los cuadros restantes sobre los rojos y amarillos de debajo. Acto seguido humedece el fondo de detrás de las flores y da unas pasadas del mismo azul sobre el papel mojado, dejando que el color se extienda y se difumine por sí mismo.

Distribuye las sombras

Deja que se sequen las aguadas anteriores, luego mezcla azul con una pizca de negro para obtener un gris azulado muy tenue y dar unos pequeños toques de sombra sobre los geranios. Para acabar, pinta la sombra de la jarra y de las hojas de geranio sobre el paño.

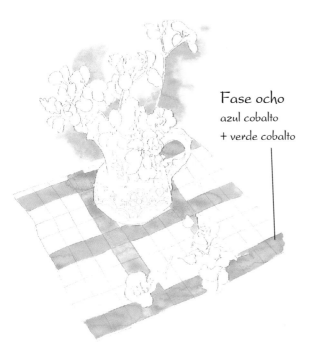

Fase ocho
azul cobalto
+ verde cobalto

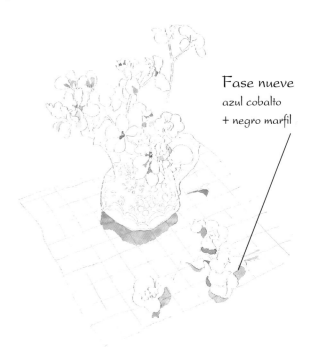

Fase nueve
azul cobalto
+ negro marfil

GERANIOS Y PAÑO A CUADROS

NICOLA GREGORY

El tema con modelo en la pintura merece la pena estudiarlo bien. Procura crear una composición sencilla y equilibrada, y ajústate a una paleta limitada de colores como la de este cuadro, de modo que resulte una imagen conjuntada.

EXPLOTAR LOS CONTRASTES

La escena de un patio soleado expresa el gusto del artista por el color y el tema. Aunque la composición tiene una frescura muy espontánea, ha sido preparada deliberadamente para explotar los contrastes de color, de las formas orgánicas y geométricas, y de luces y sombras.

El acierto de este cuadro reside en un dibujo muy preciso y en la atención al modo de abordarlo, con un bosquejo tonal previo que proporcionó al artista toda la información necesaria. Se dieron algunas pinceladas ligeras para que las referencias marcadas pudieran controlarse sin problemas.

Materiales

Una hoja de papel para acuarela prensado en frío de 410 g/m^2 • Acuarelas: tinte neutro, siena tostado, rosa permanente, aureolín, verde savia, verde cobalto, azul cobalto • Pinceles: tres redondos de los números 1, 3 y 6

Dibujo tonal

Pinta las sombras

Dibuja a lápiz las líneas esenciales de la composición. Haz una aguada de tono neutro y empieza a rellenar las zonas de sombra. Intensifícala para las más oscuras. Utiliza un pincel del número 6 para las superficies grandes y otro del número 1 para las formas más pequeñas y complicadas. Deja secar la pintura.

Fase uno
tinte neutro

Flores y hojas

Ahora puedes empezar a distribuir los colores y las formas, empezando por las macetas de flores del fondo. Trabaja con pinceles del número 1 y del 3 empleando los colores indicados abajo. Deja esas formas del fondo difuminadas.

Pinta la silla

Ahora pinta la silla verde empleando la punta de un pincel del número 3. Cuando se haya secado la primera aguada, intensifica el color añadiendo un poco de color tierra y sigue con las partes en sombra de la silla ¡Para esto necesitarás un pulso firme!

Fase dos
rosa permanente
azul cobalto
+ aureolín

siena tostado

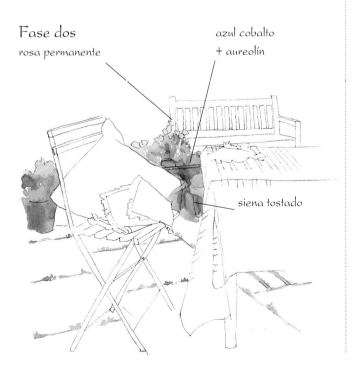

Fase tres
verde savia
+ siena tostado

El mantel

Obtén una aguada de tono medio con azul cobalto y pinta cuidadosamente el dibujo a cuadros del mantel. La artista usó para esto un pincel de cabo (si no lo tienes puedes hacerlo también con uno corriente). El cabo tiene los pelos largos y flexibles, y es ideal para trazar líneas y detalles pequeños. Se pasa a lo largo, de modo que sus pelos siguen la línea dejando un borde recto y limpio.

Fase cuatro
azul cobalto

Añade más motivos

Utilizando un pincel del número 6 y los colores señalados abajo, pinta las telas rayadas y el cojín estampado. Procura hacer las rayas siguiendo el movimiento de los pliegues y contornos de las telas. Diluye los colores para que queden suaves, sin estridencias.

Fase cinco
rosa permanente
azul cobalto
verde cobalto

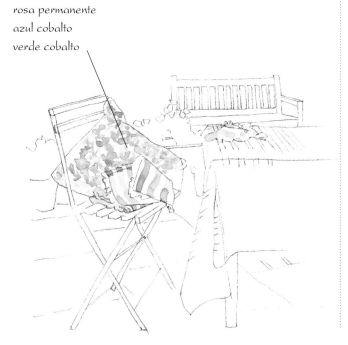

Fase seis

aureolín
+ siena tostado
+ azul cobalto

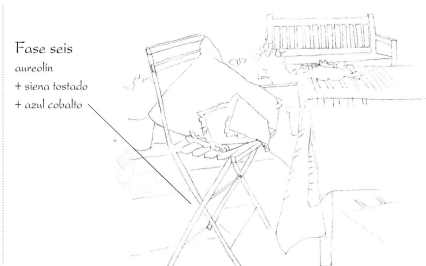

EL PATIO
JULIA ROWNTREE

Por último, prepara un amarillo verdoso (véase abajo) y pásalo sin cubrir del todo por el suelo del patio para acentuar el reflejo del sol en esta atractiva escena. Fíjate cómo con el cuadro acabado las sombras frías hacen refulgir la luz del sol.

UTILIZAR MODELOS

Estos dos artistas utilizan modelos para crear composiciones muy sugestivas aunque de modo muy distinto. *Antigüedades de ayer* posee un carácter casi abstracto con formas horizontales que se entrecruzan y se conjugan en todo el cuadro. *Patricia* tiene que ver más con la atmósfera y los efectos de luz, si bien el modelo tiene mucha fuerza por las oscuras y elegantes líneas curvas de la figura, contrastando con el trabajado fondo, la solidez de la figura tiene un efecto estabilizador que da dimensión espacial al fondo.

Sistema de trabajo

La base del diseño fue un dibujo de contornos lineales. La superficie de cada objeto se concibió como una variedad de manchas horizontales. El boceto previo se calcó al papel de trabajo (una hoja Arches prensada en frío de 300 g/m²) utilizando un papel carbón. Se eligió una escala de color con naranja cadmio, verde de Winsor y violeta de Winsor, pero con el naranja como tono dominante.

ANTIGÜEDADES DE AYER

MICKEY DANIELS

1 Cada elemento dibujado se humedeció cuidadosamente para que los colores se extendieran dando definición a las zonas contrarias. No se tocaron las zonas en blanco del papel.

2 Los tulipanes se pintaron goteando una mezcla de amarillo y rojo que dio naranja, así como la cortina y el área del fondo. Para reforzar los tonos se utilizó el rojo, el verde y/o el malva.

3 A las hojas, la cajita redonda y las porciones de la otra cortina se los trató como un tema independiente de verdes, matizados por toques de amarillo, rojo o malva.

4 Los patos se pintaron con sombras malva, añadiendo rojo o verde para contrastar tonalidades.

Puntos clave del planteamiento

- Se precisa hacer un planteamiento riguroso para establecer el equilibrio entre las formas claras y fuertes y las áreas blancas.
- Haciendo un dibujo del mismo tamaño que el cuadro, toda la composición puede estar resuelta de antemano.
- Pintar con modelo requiere un manejo cuidadoso del pincel; humedeciéndole de forma alternativa mantiene a la pintura dentro de los límites de cada forma.

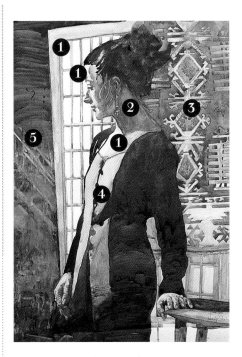

Sistema de trabajo

La artista fotografió el modelo y para extraer las valoraciones tonales sacó una fotocopia en blanco y negro. Hizo un dibujo ampliado en una lámina de papel Bristol del número 4 para profesionales. Eligió una paleta de un solo amarillo (siena natural), un rojo (carmín) y dos azules (celeste y ultramar). Estos colores se coordinaron en toda la pintura.

1 Las zonas de luz de la escena y en la cara y cuello de la figura se dejaron inicialmente con el papel en blanco y más tarde se cubrieron con una aguada de siena natural.

2 Se empleó una mezcla de carmín y siena natural para los medios tonos del rostro, y a estos colores se les añadió una aguada de azul cielo para la zona del cuello. En el pelo se aplicó una mezcla de azul ultramar, carmín y siena natural.

3 El dibujo del tapiz se pintó con carmín puro, aunque muy diluido, y siena natural, con una mezcla de los dos en algunas zonas.

4 De nuevo fue utilizado el siena natural, más empastado, para la parte delantera del vestido, y una mezcla de éste con carmín para las manos y la superficie de la mesa. Todas las áreas oscuras, incluido el fondo de la izquierda, se obtuvieron con mezclas muy intensas de azul ultramar y carmín.

5 Las líneas diagonales del fondo se sacaron frotando la pintura cuando aún estaba húmeda, después de lo cual se dieron unas aguadas de azul cielo sobre el siena natural para aclarar la zona.

PATRICIA

WENDY SHALEN

Puntos clave del planteamiento

- El equilibrio entre los valores claros y los oscuros estaba bien planteado antes de pintar.
- Mientras trabajaba, la artista comprobaba la composición sirviéndose de un espejo para ver la imagen invertida.
- La elección de una paleta limitada asegura la unidad compositiva.

INICIÁNDOTE EN LA PINTURA

Tu propia personalidad se manifestará a través del estilo que adquieras pintando. Copiar el estilo de los artistas que admiras puede ser agradable y una buena experiencia para aprender, pero no lo conviertas en una costumbre. Sé tan natural como puedas y pinta para que te guste principalmente a ti y no a los demás. Serás tu crítico más severo. Pinta con instinto y seguridad, y nunca dejes de experimentar. Cualquiera que sea el estilo que desarrolles al final, será producto de la imaginación creativa y el dominio de la técnica.

DESARROLLAR UN ESTILO

El estilo en la pintura se describe a menudo como una forma instintiva de expresión artística. No puede adquirirse de modo premeditado ni de un día para otro; depende del tiempo, como ocurre con la escritura. Así como se desarrolla tu habilidad para el dibujo y la pintura, tu propio estilo empezará a manifestarse y a distinguirse de los otros. Cuando esto ocurra sentirás que por fin estás empezando a lograr algo.

CESTA CON FLORES
WILLIAM C. WRIGHT

Para realizar este cuadro dominado por la luz, el artista no ha tenido reparo en usar colores muy oscuros en contraposición al blanco del papel. La recortada silueta de la sombra ha sido hábilmente utilizada para conseguir una composición fascinante y bien equilibrada.

ARRIBA. **Utilizar los reflejos de la luz añade interés a lo que de otra manera hubiera sido un «agujero negro» en la composición.**

Líneas suavizadas
de forma
accidental.

Pequeños toques de
rojo añaden
vivacidad.

Ricos oscuros
utilizados para el
contraste y la
atmósfera.

LA ORILLA IZQUIERDA, PARÍS
FRITZ M. MORRISON

El carácter de una calle parisina ha sido captado aquí con habilidad y acierto, mediante una combinación de aguadas sueltas y trazos lineales; la superficie rugosa del papel añade fuerza dispersando los colores. Se han producido aciertos fortuitos con la aplicación de aguadas sobre las escuetas líneas todavía húmedas. La gama limitada de color armoniza la pintura, mientras pequeños toques de luz añaden una nota de interés.

Los utensilios que utilicemos para pintar tendrán una influencia evidente en el estilo de nuestros cuadros. A un artista puede parecerle que trabajar con pinceles grandes y papel rugoso en una modalidad evanescente o impresionista manifiesta su forma de expresarse. Otro artista puede preferir un lenguaje más preciso y detallado, utilizando pinceles pequeños y papel liso.

El estilo artístico, sin embargo, no es sólo cuestión de herramientas y técnica, es también una cuestión personal. El artista no sólo crea un cuadro conjugando formas sino también eligiendo y componiendo el tema, y luego combinando los colores y las tonalidades para reflejar lo que él o ella quieran transmitir. Por supuesto, como principiante, tu atención se enfocará en cómo hacer que un árbol se parezca a un árbol, o una manzana a una manzana. No obstante, cuando hayas adquirido el conocimiento básico de la perspectiva, la composición y las distintas técnicas de pintura, podrás empezar a concentrarte en la interpretación —mejor que sólo copiando— del tema que elijas. Tu forma personal de interpretar lo que ves es un aspecto fundamental para la pintura que no debe ser ignorado.

Un paso importante para desarrollar tu propio estilo es fijarte en la obra de

Fuertes contrastes de luz y sombra.

Las sombras esparcidas marcan los contornos de la nieve.

LAS PRIMERAS NIEVES
ALAN OLIVER

Esta pintura se basa en los contrastes de luz y sombra, de los grises fríos con los marrones cálidos, y de las aguadas muy fluidas con los contornos perfilados de los trazos a pincel. Se empleó una paleta limitada de tres colores —azul ultramar, siena tostado y siena natural— para todo el cuadro, y esto ayuda a armonizar la pintura. Las figuras se añadieron para fijar un punto focal y dar proporciones a la composición.

La verticalidad de este mástil se ajusta a la regla de los tercios y es un elemento importante de la composición.

Las ricas sombras oscuras contrastan con los colores cálidos de los barcos.

KAREN MATHIS

Un dibujo preciso y aguadas limpias marcando los contornos son las particularidades en la obra de este artista. Es un ejemplo excelente de la diversidad dentro de la unidad: la continuidad en las formas de los barcos componen un modelo vivo de luz y sombra, al tiempo que la gama limitada de color dota de afinidad al conjunto.

los artistas que admiras. Casi todos los grandes creadores fueron influenciados por otro anterior y tú te sentirás inevitablemente atraído por el trabajo de algún pintor en particular que te impresione profundamente. Su influencia puede aparecer de modo inconsciente en tu propio trabajo, pero con el tiempo empezará a destacar algo de ti mismo. Te recomiendo estudiar la obra del gran acuarelista inglés J. M. W. Turner (1775-1851).

He aquí un hombre con un estilo absolutamente propio. No le importaba producir «accidentes» en el papel y luego manipularlos para crear maravillosos efectos atmosféricos. Muchos de sus cuadros los hizo inundando el papel de pintura y luego quitando el exceso de agua para dejar delicadas manchas de color que se transparentaban como las capas de un pañuelo de papel. Sin duda, habrá días en que sentirás que no estás avanzando nada y no estarás satisfecho de lo que haces. A todos

los artistas les pasa lo mismo de vez en cuando, y eso es siempre una buena razón para buscar algo nuevo. Experimentar es importante; un artista debe avanzar constantemente, desarrollar nuevas ideas, nuevos sistemas de emplear las pinturas y los materiales, nuevas formas de pensar. Trata de abordar nuevos temas, cambiando tu paleta habitual de colores o utilizando pinceles más grandes. Pierde el miedo y aplica aguadas grandes, bien empapadas y llenas de pintura sobre el papel. No te importe raspar una aguada húmeda o salpicar encima pintura con un cepillo de dientes viejo. Algunos experimentos pueden suponer, a veces, estropear el papel, pero merecerá la pena.

Al final, el mejor consejo que puedo darte es que pintes, pintes y pintes. Cuando vayas adquiriendo habilidades empezarás a pintar con fluidez y seguridad, y tu propio trabajo será tu sello.

DESPUÉS DEL CONCIERTO
BERENYCE ALPERT WINICK

Para este asombroso efecto se utilizó la técnica de húmedo sobre húmedo a fin de captar la atmósfera de una noche de invierno en la ciudad. La combinación casi monocromática de color y el detalle reducido al mínimo realzan la niebla.

Las formas repetidas dan movimiento y ritmo a la composición.

El blanco opaco fue salpicado en la etapa en seco para sugerir los copos de nieve.

LA HABITACIÓN DE ANNA
JOHN LIDZEY

La mayor preocupación de este pintor es el estudio de la luz. Aquí la atención está centrada en el espejo a través del contraste de la luz con las sombras. Los colores fluidos de baja intensidad y una técnica muy suelta, se combinan para crear un ambiente íntimo.

Ricos oscuros contrastando con claros brillantes.

Se dejó escurrir el agua sobre la superficie seca de la pintura para recrear texturas.

DOS ARTISTAS, UN PANORAMA

Es interesante ver cómo dos artistas, frente a un mismo tema, lo interpretarán de modos muy diferentes. La serie de ilustraciones que sigue te muestra el desarrollo de los dos cuadros realizados por cada uno de ellos. A ambos se les pidió hacer una acuarela del mismo paisaje de un lago italiano (*véase abajo*). Las secuencias del desarrollo de las pinturas se exponen juntas de manera que puedas comparar y contrastarlas. El escenario es el mismo en las dos y las composiciones son muy parecidas, pero la impresión que transmite cada una es bien distinta.

Ambos artistas empiezan haciendo pequeños croquis y estudios tonales para ensayar ideas de composición y familiarizarse con el tema. Sus conceptos independientes comienzan a desarrollarse en las pinturas, con el primer artista utilizando el método directo, húmedo sobre seco, y el segundo empleado el sistema húmedo sobre húmedo. El contraste entre la atmósfera y el ambiente de las dos pinturas es también totalmente distinto.

El paisaje

Dibujos de los croquis

El primer artista empieza examinando las posibilidades compositivas del tema. En el dibujo 1 se concentra en el atrayente grupo de árboles. En el dibujo 2 prueba la idea de colocarlos a la derecha de la composición. En el dibujo 3 los sitúa a la izquierda y los deja cortados en la parte de arriba a fin de hacer la composición más horizontal.

❶

❷

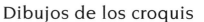

❸

❶  **❷**

Dibujos de los croquis

El segundo artista también hace bosquejos como ensayo para decidir la composición adecuada, que no necesita ser exactamente igual a la de la foto que sirve de referencia. En el dibujo 1 añade unos arbustos a la derecha para equilibrar los árboles de la izquierda. En el dibujo 2 corta la imagen a fin de hacer un formato más vertical. En el dibujo 3 aumenta la zona del fondo para elevar el nivel del horizonte.

❸

Estudio tonal

El artista ahora realiza un boceto de mayor tamaño en el que analiza la estructura compositiva con más detalle. Utiliza carboncillo para matizar las zonas claras y oscuras de la imagen difuminándolas con los dedos en las partes más oscuras. Este estudio tonal será la base para la pintura definitiva.

Estudio tonal

Rechazando la idea de una composición vertical, el artista hace un esbozo tonal más detallado basándose en su primer croquis. Prefiere utilizar un lápiz corto y grueso (con un grado mínimo de dureza como el 3B), pues opina que esto le da a su mano mayor libertad para conseguir trazos más sueltos.

La foto de referencia debe olvidarse en este punto y no mirarse más. Los dibujos preliminares le han ayudado a simplificar el tema y le proporcionan toda la información que necesita, como atmósfera, color y valoraciones tonales.

Herramientas y colores

Cada artista adquiere una preferencia por ciertos colores e instrumentos, y no hay dos que trabajen del mismo modo. Todos vemos las cosas de manera diferente, y la imaginación artística es la que crea imágenes propias.

Este pintor, John Lidzey, emplea una combinación de colores que proporcionan tonos oscuros muy intensos. La inclusión del índigo, un rico azul/negro, da grises oscuros y fuertes contrastes. El blanco permanente le permite dar toques de luz en las etapas finales de la pintura. Trabaja con papel «no prensado» de 300 g/m² estirado sobre el tablero, utiliza dos pinceles, uno del número 2 y otro del 9, una plumilla, un lápiz 2B y una caña de carboncillo.

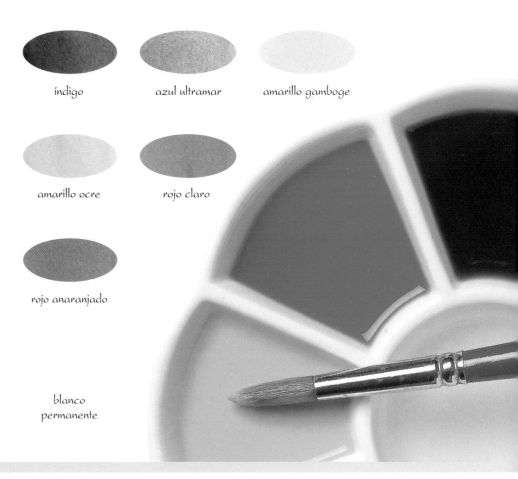

índigo

azul ultramar

amarillo gamboge

amarillo ocre

rojo claro

rojo anaranjado

blanco permanente

Herramientas y colores

Alan Oliver emplea una paleta de colores similar para su cuadro, aunque sin los fuertes contrastes del índigo y del blanco. Pero los colores empleados dan una enorme gama de tonos cuando se mezclan, y el artista ha hecho uso de la máscara líquida para resaltar brillos y dar luminosidad a la pintura. Todos los colores se han aplicado puros, sin mezclar, excepto el rojo claro que con el azul ultramar produce grises muy suaves.

Utiliza un papel «no prensado» de 300 g/m², alisado sobre el tablero. Además de la máscara líquida, usa un lápiz 4B, pinceles del número 2 y del 14, un pincel plano de 16 mm y un pincel chino redondo del número 12.

azul ultramar

carmín

amarillo gamboge

rojo claro

El esbozo

Después de haber alisado su papel de acuarela, el artista empieza por dibujar escuetamente los elementos primordiales de la composición con un lápiz 2B.

Instalar la atmósfera

Sobre el papel seco, pasa una aguada muy diluida de azul ultramar por la zona alta del cielo, desvaneciendo el tono hacia abajo con otra aguada clara en amarillo ocre hasta el horizonte. Con los mismos colores, da unas pasadas sobre el lago. Luego, en el primer plano aplica un tono fuerte de amarillo ocre mezclado con rojo anaranjado.

El esbozo

El artista establece los perfiles esenciales de la composición realizando una serie de trazos rápidos y ligeros con el lápiz.

Preservar los tonos claros

Mientras el primer artista normalmente pinta alrededor de las zonas claras, el segundo prefiere cubrirlas con máscara líquida y tener así más libertad cuando da las aguadas húmedo sobre húmedo. Utiliza un pincel viejo para aplicar la máscara a los edificios blancos del fondo y a los reflejos de la luz sobre los troncos de los árboles.

El fondo y el primer plano

El artista usa un pincel más pequeño para pintar las montañas con aguadas muy transparentes de índigo y rojo anaranjado. Las copas de los árboles se pintan con el método húmedo sobre húmedo, empleando una mezcla de marrón anaranjado e índigo para la zona de las hojas más oscura. Oscureciendo la mezcla con más índigo, sugiere algunas rocas en el primer plano.

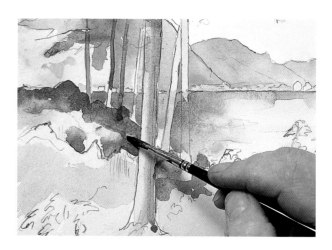

Los medios tonos

Para sugerir los reflejos de las montañas en el lago ha empleado aguadas intensas de azul ultramar. Los troncos de los árboles se pintan con distintas mezclas de amarillo ocre, amarillo anaranjado e índigo. Luego sugiere el primer plano rocoso con más capas de aguadas sobre la superficie seca. Para el contorno oscuro de las rocas usa una mezcla de índigo y amarillo ocre.

Instalar la atmósfera

Mientras se seca la máscara líquida, el artista prepara dos aguadas por separado de azul ultramar y carmín. Humedece el papel con agua limpia y trabaja sobre el cielo, las montañas y el lago con pasadas alternativas de azul y rojo, dejando que se extiendan sobre le papel mojado. Esta capa de base establece la tonalidad general del paisaje.

El primer plano

Los árboles y el primer plano se pintan ahora con pinceladas de amarillo anaranjado para dar las luces, y una mezcla del mismo color con azul ultramar para los tonos oscuros. De nuevo se deja que los colores se extiendan y se mezclen sobre el papel húmedo.

Extraer el color

El artista utiliza un trozo de papel de celulosa arrugado para frotar suavemente el color húmedo en la base de las rocas. Esto crea un borde suave que se armoniza de forma natural con la zona de maleza que las rodea. Es esta cualidad de contornos «perdidos y encontrados» lo que da atmósfera a la acuarela.

Desarrollar colores y formas

Se aplican más aguadas de índigo y rojo anaranjado sobre las montañas del fondo, dejando la pálida capa inicial al descubierto en algunas zonas, para insinuar su superficie rocosa. Los ramajes agrupados de los árboles se completan con más toques de amarillo anaranjado, índigo y amarillo ocre. La pintura se deja secar.

La media distancia

Después de establecer los valores lumínicos, el artista trabaja después en los tonos ligeramente oscuros de la media distancia; las montañas lejanas se cubrieron con una aguada de azul ultramar oscurecida con carmín.

Ampliar los medios tonos

Se insiste un poco más en los verdes del primer plano. El artista emplea los mismos colores que aplicó al follaje, pero esta vez con mayor intensidad. Las montañas se destacan más añadiendo pinceladas de azul, aunque dejando sin cubrir en algunos sitios la aguada clara de base.

Añadir los detalles lineales

Con unos pocos trazos, el artista agrega algunos detalles lineales en el primer plano del cuadro para sugerir las formas del follaje y de la matas. Para esto moja en el pincel, cargado de índigo muy pastoso, la punta de una plumilla.

Dar lejanía al espacio

Aquí puedes ver cómo los detalles más marcados en primer término dan distancia al plano del cuadro, creando la ilusión de lejanía. Ahora, el grupo de montañas más próximo se oscurece con índigo; esto de nuevo le da profundidad cuando aclara la tonalidad del resto, que parece alejarse en el espacio.

Crear profundidad

El artista ahora mezcla una aguada de azul ultramar con una pizca de rojo claro y la pasa sobre el lago con un pincel plano grande, dejando una franja estrecha en un tono más diáfano a lo lejos. El agua del primer plano se oscurece algo más añadiendo un toque de carmín a la mezcla. Esta gradación de valores crea el efecto de distancia en el agua.

Salpicar

Donde el primer artista delineó algunos perfiles para sugerir los detalles del primer plano, el segundo utiliza una técnica llamada de salpicado. Empapa un pincel chino (que tiene los pelos ligeramente rígidos) en una aguada de rojo claro, y poniéndole sobre la zona elegida, pasa su pulgar con movimientos rápidos por los pelos del pincel. Esto produce una lluvia de gotas de pintura sobre el papel.

Pintar los nubarrones

Las nubes plomizas de la derecha se sugieren con algunas pinceladas acuosas de azul ultramar y amarillo ocre, dejando un trozo de cielo limpio en el centro.

Insistir en el primer plano

El artista decide que el primer plano inmediato pide más realce reforzando los tonos y los detalles. Aquí aplica una aguada oscura de índigo y amarillo ocre, y utilizando la punta del mango del pincel saca de la pintura húmeda unas líneas para sugerir las hierbas altas.

Añadir movimiento

Las ramas de los árboles se insinúan ahora con un verde jugoso y oscuro obtenido con azul ultramar y amarillo anaranjado. Luego el color del primer plano se intensifica con más aguadas de azul ultramar y rojo claro. La punta fina del pincel chino resulta excelente para hacer trazos que pueden sugerir el movimiento de las hojas y también de la superficie del agua.

Los detalles del fondo

El artista quita ahora la máscara protectora frotando con el dedo, y debajo aparece el blanco original del papel. El pueblecito del fondo a la orilla del lago se sugiere con pequeños toques de rojo brillante y azul ultramar, dejando resquicios de papel en blanco para definir las paredes de las casas iluminadas por el sol.

Realzar la atmósfera

Ahora se ocupa del ambiente y de la atmósfera. Las rocas que sobresalen del agua se resaltan con una mezcla oscura de índigo y rojo anaranjado. Con índigo y amarillo ocre se oscurece la tonalidad de los árboles. Luego se añade una aguada más de azul para la parte superior del cielo, acentuando el aspecto tormentoso de la luz.

Los últimos toques

Sirviéndose de un pincel pequeño, el artista sugiere el pueblecito que se ve a lo lejos en la orilla del lago con ligeros toques de gouache rojo claro y blanco permanente.

Los troncos de los árboles

Pinceladas de rojo brillante y azul ultramar consiguen marcar las sombras moteadas del árbol más próximo, luego los dos colores se mezclan a fin de obtener un oscuro intenso para los restantes.

Las sombras proyectadas

Por último, se prepara una aguada transparente de azul ultramar y carmín para las sombras que proyectan los árboles. Las sombras están increíblemente matizadas de color, sobre todo en un día de sol.

El cuadro terminado

La interpretación del tema hecha por el primer artista da como resultado una pintura de logrado efecto atmosférico, donde se reproduce el ambiente de una tormenta que se acerca. Esto se logró mediante una gama de color muy sutil y la diestra orquestación de tonalidades oscuras.

JOHN LIDZEY

El cuadro terminado

Aunque similar en la composición al primer cuadro, el ambiente y la atmósfera del segundo son muy diferentes. Se usaron colores frescos y luminosos para sugerir el ambiente diáfano de un día de sol, con una intensa luz viniendo de la izquierda.

ALAN OLIVER

ÍNDICE

Las ilustraciones de cuadros completos se indican en *cursiva*. Cuando están acompañadas por un comentario de «sistema de trabajo», a la referencia se añade «*+t*». Las ilustraciones que muestran la elaboración de los cuadros que se suceden en cada página y no se reseñan por separado en el índice. DPP = Demostración paso a paso.

A

accesorios, los 15
aciertos fortuitos 111, 113
agua, el
    cómo pintarla 19, 49, 63, 65,
    los lagos (DPP) 38-41, 116-25
    el mar 67, 113
    utilizada para pintar 15, 23
aguada y línea 58, 61 (DPP)
aguadas, las
    plana 16, 17
    graduada 17, 36
    sobre líneas dibujadas 43
    con bordes marcados *113*
    dispersas 17
    véase también aguadas tonales
ambiente, el *véase también* atmósfera
atmósfera, pintar *19*, 64-79, *64, 65, 78 +t, 81, 114* (DPP), 66-71, 72-77, 66-71, 72-7, 116-25
atomizadores 78

B

Bebe, Sandra A.: *Manojo de Pinceles 95*
Betts, Judi: *Solanera 79+t*
blancura del papel, utilizar la 18, 23, *37*, 44, 45, 96
bordes de las aguadas 43, 49, 51, 113
bosquejos 32-4, 36, 38, 62, 78, 116
    dibujos tonales 5, 24, 33, 117

brillos, los 20-21, 51, 55, 93
    véase también máscara líquida; blancura del papel
bruma, la 19, 64-5, 66

C

caballetes 15
capas tonales (de claro a oscuro) 5, 9, 36-7, *48+t, 49+t*, 51 (DPP) 38-41, 72-7
casas y calles, escenas de *79+t, 93+t* (DPP) 72-7, 82-7
celulosa, papel de 15, 21
cepillos de dientes 15, 70, 114
cielos 17, 19, 49, 66 *véase también* horizontes
claro a oscuro, pintar de 49 *véase* capas tonales
colores, los
    ambientes 65
    cálidos/fríos 40, *79+t*, 82-7 (DPP), 95
    combinar 22-3
    estilo personal 118
    mantener los colores limpios 5, 23, 37, 42-7 (DPP)
    poder del rojo 70
    sombras 80, 124
    una paleta limitada 88-91 (DPP), *93+t, 107+t, 111, 112, 114*
composición, la 25, 26-9, 63, 110

contrastes, los 25, *112*
    claros/oscuros 66-71 (DPP), *114-15*
    colores cálidos/fríos 82-7, (DPP), 95
    véase también sombras, las
correcciones, las 8
correctores, lápices 21
cuadrículas 26, 92
    véase también visores
cuadros recargados 5, 50, 86
Cotman, John Sell 5

D

Daniels, Mickey: *Antigüedades de ayer 106+t*
detalles, los 50, 51, *62+t, 63+t*
    con pincel fino 86
    con pincel grande 75
    con plumilla 58-61 (DPP)
    quitar la máscara líquida de los detalles (DPP) 52-7 123
dibujo, el
    con lápiz 20, 106, *113*, 119
    con plumilla 41, 48, 50, 58-61 (DPP), 122
    véase también bosquejos
Dixon, Henry W.: *Práctica por la tarde 62+t*

E

edificios *véase* iglesias y catedrales; casas y vistas de calles
equilibrio *véase* composición
equipo básico 8, 12-15
errores 5, 8, 19, 36-7
escala, 71, 112
espacio y distancia 17, 27, 36, 50
perspectiva atmosférica 24-5
espejos, 107
esponjas 15
estilo

desarrollar el tuyo propio 110-15
dos artistas contrastados 116, 25
experimentación 113, 14

F

figuras
  sentido de la proporción *71, 72,* 112
  tema principal *62+t, 106+t, 107+t*
Fletcher, Adalene: *Girasoles* 47
flores 42-7 (DPP), 103
fotografías 24, 52, 63, 92, 107
frotados con algodón 62
frotar el color 65, 68, 79, 97, 121

G

gomas de borrar 15, 20, 34
gouache, pintura de 21, 51
Gregory, Nicola: *Geranios y paño a cuadros 101*

H

herramientas 12-15
  y estilo 111, 11
Holden, Donald: *Atardecer en Sedona 78+t*
Homer, Winslow 5
horizontes, los 26, 27, 28

I

ideas, las 32
iglesias y catedrales 58-61 (DPP)
impaciencia, la 8, 32
interiores, los 89-91 (DPP), *114-15*

L

lápices, 15, 32, 34
lavar el color 62
Lidzey, John: *La habitación de Anna 114-15*
  Paisaje italiano con lago (DPP) 116-126
líneas conjugadas 28
lluvia, la 19, 66
luminosidad, la 5, 18, 23, 37, 80, 81 DPP 72-7
luz, la
  artificial 92
  contrastes *114-15*
  dirección de 25, 80, 81
  sombría 124
  variedad de 64-5

M

máscara líquida 20, 36, 63, 118, 119, 123 (DPP) 52-7
Mathis, Karen: *Amanecer en el puerto 113*
memoria, pintar de 49
modelo, pintar con 94-5, *106+t, 107+t*
  contrastes 102-5 (DPP)
  color intenso 96-101 (DPP)
Morrison, Fritz M.: *La orilla izquierda París 111*

N

naturaleza muerta *51, 92+t,* 94 (DPP) 42-7, 96-101
niebla, 64-5
nubes 19, 123 *véase también* cielos

O

Ohsten, Kay: *Portada de catedral* 61

Oliver, Alan :
  Una vereda de campo 81
  Playa de Brighton 48 +t
  Granja de Cumbrian 64
  Las primeras nieves 112
  Vista de calle francesa 87
  Pueblo francés 93+t
  Silla de jardín 81
  Paisaje de un lago italiano (DPP) *116-25*
  Paisajes de nueva Inglaterra 41
  Venecia, por la mañana temprano 77

P

paisajes
  pintar en el emplazamiento 64-5 (DPP) 38-41, 52-7, 116-25
  véase también cielos; espacio y distancia
paletas 15
papel
  alisar 14, 16, 19
  clases y texturas 14-15
  véase también blancura del papel
papel adhesivo, cinta de 14, 15
papel alisado 14, 16, 19
patio, escena de 102-5 (DPP)
perspectiva *véase* espacio y distancia
perspectiva atmosférica 24-5
peso de los papeles, el 14-15
pinceles
  cuidado de 13, 20
  chinos 122, 123
  de cabo 13, 104
  tipos y tamaños 13
plumilla/lápiz, dibujar con *véase* dibujar
plumillas 15, 50
práctica, la 113-14
proceso creativo 32
puntos focales *21,* 26, 50, 51, 62, *112*

R

rapidez, trabajar con 48, 81, 87
reflejos 71, 74, *113*
regla de los tercios, la 26, 27, 28, 113
repetición, la 28, 94
Roche, Joan: *Estanque de Kois 63+t*
Rowntree, Julia: *Ovejas pastando 57*
    El patio 105

S

sacar brillos 21, 93
salpicado, el 61, 70, 93, 114, 122
secado, el
    dejar que los colores se sequen
        más claros 16, 96
        aguadas sucesivas 36, 47, 78
secadores 36, 47
Shalen, Wendy: *Patricia 107+t*
simetría 28
simplificar 33, 88
sombras, las 80-81, 92, 93, 110
    (DPP) 82-7, 88-91

también indicado en 37, 41, 47,
    54, 56, 57, 74, 75, 76, 97, 99,
    100, 102, 105, 124

T

tableros, montar el papel sobre
    14,15
técnica directa *véase* húmedo sobre
    seco
textura de la pintura 37, 83, 93
    de los papeles 14
toques de luz, los 20-21, 51, 55,
    93
    véase también máscara líquida;
        blancura del papel
transparencia 17, 18, 25, 36, 37
trapos 15
Turner, J.M. W. 5, 21, 113

U

unidad y composición 28, 101

V

valores tonales, los 5, 25-5, 33
visores
    cómo hacerlos 29
    cómo utilizarlos 15, 32, 34
    82-7, (DPP), 95
    véase también sombras

W

Watson, Neil: *El frontispicio azul*
    37
Weston, David:
    Playa en invierno 71
    Maquinaria oxidada 65
    La vieja fragua 91
Williams, Joyce: *Desembarco*
    nocturno 49+t
Wrick, Berenice Alpert: *Despúes del*
    concierto 114
Wright, William C.:
    Cesta con flores 110
    Moras y cosmos 51
    Ramo de cerezo con patos 92+t

Créditos

Las ilustraciones de cuadros completos están acreditadas en la página, pero quisiéramos dar las gracias, especialmente por su ayuda en las demostraciones de las técnicas, fotografiadas paso a paso, a los siguientes artistas: Adalene Fletcher, Nicola Gregory, John Lidzey, Kay Ohsten, Julia Rowntree, David Weston, y en particular al autor, Alan Oliver.